# ÉTIENNETTE CARON-SIROIS

# Un secret bien gardé

Roman

La Plume d'Oie
EDITION

La Plume d'Oie Édition

Étiennette Caron-Sirois

© Tous droits de reproduction réservés.

ISBN : 2-922183-43-2

Dépôt légal – Bibliothèque nationale du Québec, 1998

Dépôt légal – Bibliothèque nationale du Canada, 1998

Peinture de la page couverture :

    Étiennette Caron-Sirois, artiste-peintre

Illustrations intérieures : Étiennette Caron-Sirois, artiste-peintre

Collaboration rédactionnelle : Kathy Paradis

Conception et mise en pages : Micheline Pelletier


Cette publication est dirigée par :

La Plume d'Oie

ÉDITION – CONCEPT

199, des Pionniers Ouest
Cap-Saint-Ignace
(Québec) G0R 1H0
Tél. et télécop. : 418-246-3643

Beaucoup de gens
seraient devenus sages
s'ils ne s'étaient imaginé
l'être déjà.

# Chapitre un

*Notre manière de
répondre aux diverses
circonstances témoigne
de notre degré
d'attachement à ce
que nous considérons
comme des valeurs
importantes.*

ERNEST HOFFMAN

ENDANT que Jos se pavanait dans sa belle voiture de l'année, une Hudson 1939, brillante de nickel, son jeune fils André, âgé de dix-sept ans, devenait responsable des travaux de la ferme familiale. Faisant preuve d'une autorité explosive, l'homme déléguait sans ménagement les tâches ardues. L'adolescent devait ensemencer, faire les foins, arracher les *patates*, faire le train, nourrir les animaux et entretenir les bâtiments. Un jour, Jos tomba malade. Le verdict fut clair et net : il était atteint d'un cancer. Comme il n'acceptait pas son état, Cléophas, son voisin, lui dit :

– Tu as de l'argent, va te faire soigner.

Évidemment, Jos pensait beaucoup à ses sous. Il préférait rencontrer un guérisseur ; à son avis, il lui en coûterait moins cher. Croyant à sa chance, il demanda à l'un de ses fils, Odilon, de le conduire aux États. Le grand départ en Hudson bleue eut lieu par un matin de juillet. Le voyage dura deux jours.

À leur arrivée, ils constatèrent qu'il était impossible de rencontrer le guérisseur en question sans prendre un rendez-vous. Ils durent se résigner à attendre quelques jours. Pour économiser, ils couchèrent dans l'automobile. Jos n'allait pas bien du tout. Ces derniers mois, il avait eu beau promettre des neuvaines à sainte Anne, faire brûler des lampions, aller à la messe tous les dimanches, des malaises l'incommodaient toujours.

Il n'avait plus besoin, estimait-il, de croire en Dieu puisqu'il possédait de l'argent. Il avait par le fait même la gloire et le pouvoir. Mais, au fond de lui-même, il se sentait malheureux.

Au troisième jour de leur séjour en terre américaine, n'ayant pu voir le charlatan, ils abandonnèrent la partie. En rentrant chez lui, Jos apprit que Manda s'était fracturé le pied en travaillant à l'étable. Il fallait bien qu'elle aide son fils, il était si jeune. Son mari, lui, ne s'occupait guère de ces travaux-là. Il avait déjà demandé de l'aide à un beau-frère pour le dépanner, mais ce dernier avait exigé une somme de trente dollars par mois. Il avait alors décidé de s'organiser autrement, car il ne voulait pas délier les cordons de sa bourse.

Pendant ce temps, la vache brune Fanfan avait mis bas. Quelle tâche pour Jos ! Il aurait eu besoin des services du vétérinaire, mais c'était encore des sous à débourser, alors... le veau est mort. Au fond, le pauvre homme ne réalisait pas qu'il avait perdu plus d'argent en se privant de la petite bête.

Existait-il dans tout Saint-Cézaire cultivateur plus exécrable que cet homme qui faisait travailler son fils sans lui verser de salaire, et sans rien lui donner en retour ? Un jour, se disait sa vaillante femme, il trouvera chaussure à son pied.

Dédé grandissait, besognait du matin au soir et ne sortait pas de la maison, tandis que Jos, lui, s'accordait tous les droits. Il trouvait son père beaucoup trop dur et injuste à son égard.

Les beautés colorées de la nature annonçaient l'automne. Sur la ferme, c'était aussi le signal de nombreux travaux à exécuter avant la saison froide. L'enflure de ses jambes faisait beaucoup souffrir Manda, mais Jos ne voulait pas l'amener à l'hôpital ; cela coûterait sûrement cher et, en plus, il y avait trop de besogne à la maison pour qu'elle se permette d'être absente. La pauvre femme n'était plus capable de marcher.

La récolte des *patates* était terminée, mais il fallait penser à faire boucherie. Il y avait deux cochons, une vache et un veau à abattre. Des voisins compatissants vinrent donner un coup de main.

Manda n'allait pas mieux, et Jos non plus. Ce dernier décida d'aller voir un autre guérisseur, cette fois à Saint-Victorin. Après un examen général, le charlatan lui confirma aussi qu'il était atteint du cancer et qu'il ne pouvait rien faire pour lui. Jos retourna chez lui, décontenancé et affolé. Il n'y avait plus de doute possible. Son existence venait de basculer tout d'un coup.

Dès qu'il fut de retour, Manda voulut savoir :

– Qu'est-ce qu'il t'a dit, ton guérisseur ?

– Je n'ai rien. Absolument rien.

Et de jour en jour, la toile d'araignée se tissait dans le silence. Manda et Jos étaient malades, mais il n'était pas question de se faire soigner par un médecin, c'était beaucoup trop cher.

Tôt le matin, Jos prenait possession de sa *chaise berçante* et jetait un regard furtif par la fenêtre. Il constatait que ses voisins, qui ne possédaient ni auto ni richesse, qui côtoyaient quotidiennement la pauvreté, semblaient quand même très heureux. Le bonheur, pour lui, c'était une question de chance, rien de plus.

Les journées passaient, et notre sexagénaire était de plus en plus songeur. Il les trouvait bien longues ces heures à méditer sur son sort. Il n'adressait plus la parole à sa femme. De son côté, Dédé n'en pouvait plus de cette situation. Il était épuisé et démotivé. Il n'arrivait pas à assumer seul la lourde tâche de la ferme.

– Moi, au printemps, je pars travailler ailleurs pour gagner de l'argent, dit-il un bon matin à sa mère.

Manda se mit à pleurer à chaudes larmes, elle ne voulait pas perdre son fils.

En janvier, Jos dut être hospitalisé. Il avait tellement peur que quelqu'un touche à son magot qu'il avait pris soin de le cacher dans la cave, en dessous des cordes de bois, juste avant son départ.

– Ne touchez pas à ce bois-là, je le garde pour l'hiver prochain, avait-il dit.

Opéré pour le foie, il reçut des avis du médecin : « Plus de gin et plus de petits sauts ici et là avec les femmes. Vous comprenez ce que je veux dire, Monsieur Poitras ? »

Ces recommandations eurent l'effet d'une douche froide sur notre homme. Son petit univers s'effondrait. Plus de parties de jambes en l'air pour celui qui fréquentait régulièrement l'hôtel Chez Basile et ses danseuses. Fini les folies pour celui qui n'avait pas besoin de lunettes pour détecter les *poulettes* et se permettait de rentrer aux petites heures du matin.

– Jos, tu ne reviens certainement pas de l'étable. D'où viens-tu ? disait invariablement Manda.

Et le jour se levait dans le silence.

ᴥᴥᴥᴥᴥ

Le soleil d'avril était revigorant, et la nature sortait de sa léthargie hivernale. Elle donnait tous les signes d'un retour triomphal. Le printemps s'installait au coeur de la vie. Manda traînait toujours cette faiblesse aux jambes, et Jos prenait sa *ponce* de gin tous les matins malgré les avertissements du médecin. Hélas ! c'était mortel pour son foie. Il avait perdu l'appétit et maigrissait de plus en plus.

Par un de ces matins où les hirondelles gazouillaient leur bonheur d'entreprendre une vie à deux, il eut un regain d'énergie. Il décida de retourner aux États une autre fois pour rencontrer le fameux charlatan. Cette fois, il ferait le voyage avec Dédé et prendrait un rendez-vous.

Chemin faisant, il décida de parler ouvertement à son fils :

– Tu sais, je suis malade et j'ai une confidence à te faire. Je suis très mal pris en ce moment. Tu connais la danseuse Rébecca de l'hôtel Chez Basile ? Eh bien, j'ai couché avec elle...

– Quoi ? Vous avez fait l'amour avec une danseuse ?

– Oui. Et elle est enceinte.

– La maudite putain !

– Je suis dans l'embarras, vois-tu.

Et ce fut le silence dans la Hudson.

De la bouche du charlatan, Jos apprit qu'il avait l'herpès.

– La peste ! C'est la putain de Rébecca qui m'a refilé cette maladie.

Le soi-disant guérisseur lui donna un conseil :

— Votre cas n'est pas beau du tout, Monsieur, allez voir un médecin au plus vite.

Comment s'en étonner ? Jos aimait l'alcool et fréquentait les bordels. Il payait pour ses folies. Il fallait avoir l'air malade pour aller à l'hôpital, mais il n'avait pas le choix, il devait absolument s'y rendre.

Seul Dédé était au courant de son secret. Ce fardeau pesait lourd sur ses jeunes épaules, et il en avait la conscience troublée. Si cette histoire était révélée, ce serait la honte et le déshonneur de tout le village.

Jos essayait, tant bien que mal, de se convaincre que sa situation n'était pas aussi désastreuse qu'elle en avait l'air. Tout va s'arranger, pensait-il, oubliant que le chagrin et la souffrance pouvaient peut-être l'aider à retrouver le bonheur. Encore devait-il prendre le temps de lire les événements inscrits dans le livre de sa propre vie.

# Chapitre deux

*Le chagrin et la
souffrance sont
souvent porteurs
de bonheur.*

ÉTIENNETTE CARON-SIROIS

NTRE-TEMPS, Dédé tomba en amour avec Phanie Dufour, une fille du rang où il habitait. Un samedi soir, il emprunta la voiture de son père pour lui rendre visite et surtout pour faire « bonne apparence » auprès de ses parents. À cette époque troublée de la Seconde Guerre mondiale, posséder une automobile avec beaucoup de nickel, comme celle de Jos, c'était faire la démonstration de son aisance financière.

En refermant la portière, il sentit sa gorge se nouer et ses mains devenir moites. Il respira profondément, lissa ses cheveux d'un geste lent et se dirigea vers la grande maison en brique rouge, agrémentée de volets blancs.

En le voyant arriver, Phanie s'exclama :

– À qui cette belle voiture-là ?

– C'est à mon père, dit-il, d'un air timide.

Faisant preuve d'une grande politesse, le père de Phanie lui offrit de s'asseoir. Dédé se sentit aussitôt envahi par une nervosité incontrôlable ; il s'assit gauchement et tomba à côté de sa chaise. Les frères et soeurs de Phanie rirent aux éclats.

– Passez au petit salon, vous serez plus tranquilles pour parler, suggéra le chef de famille, qui voulait éviter à ce jeune homme d'être traumatisé par ce qui venait de se passer. De la cuisine, les parents pouvaient surveiller les deux amoureux. Pas question de sortir de la maison, car Phanie n'avait que quinze ans.

Comme il n'y avait pas de téléviseur et que la radio jouait quand bon lui semblait, il ne restait que la conversation pour passer le temps. Dédé et Phanie étaient chaperonnés par Cassandra, la soeur de cette dernière, qui tricotait dans la même pièce. Et lorsque Dédé s'approchait un peu trop de sa belle, elle allait en informer sa mère.

La conversation n'était pas tellement intéressante. Dédé ne parlait que de ses vaches et du temps qu'il allait faire. Lorsque les parents de la jeune fille voulurent aller se coucher, il dut partir. Il aurait bien voulu prendre Phanie dans ses bras, la serrer tendrement, lui donner un petit baiser, mais il se contenta de lui dire : « À bientôt !»

# Chapitre trois

Dans ton paradis,
l'étoile brille de
tous ses feux.

MARTHE RIOUX, 95.

ANS quelques mois, ce serait Noël et Dédé aurait aimé offrir une petite surprise à celle qui avait conquis son coeur. Pensif, il aborda son père et lui dit :

– J'aimerais acheter un cadeau à Phanie pour Noël. Pourriez-vous me prêter un peu d'argent ?

– C'est une étrangère, je n'ai pas d'argent pour cette énervée-là, répondit Jos, sur un ton brusque.

Dédé s'en retourna, tête basse, se creusant les méninges pour trouver une solution. Il voulait acheter un cadeau à sa bien-aimée et il s'organiserait pour avoir les sous nécessaires.

La nuit lui porta conseil. Au petit matin, en regardant ses veaux, il lui vint à l'idée d'en vendre un au marché.

⁘⁘⁘⁘⁘⁘

« Cinq dollars pour un beau petit veau ! 5,25 dollars, 5,75 dollars, 6 dollars, 8 dollars, 9,50 dollars, 10 dollars. Dix dollars pour un beau petit veau dodu, c'est donné ! Allons ! »

Dieu du ciel que c'était long ! Les acheteurs manquaient d'enthousiasme. Dédé était quelque peu déçu de cette enchère, car il s'attendait à en retirer plus de sous. Soudain, un monsieur du village se présenta et offrit la somme de vingt dollars.

Vingt dollars une fois, deux fois, trois fois, vendu !

Le jeune homme, tout content, se dirigea vers la bijouterie de Saint-Cézaire. Il regarda tous les bijoux du comptoir avec admiration et s'attarda sur une délicate chaîne en or qui mettait en valeur un minuscule coeur. Quelle magnifique parure ! se disait-il.

– Vaut-elle plus de vingt dollars ?

– C'est vint-cinq dollars, de répondre le bijoutier.

– Vous ne pourriez pas me la laisser à vingt ? C'est seulement ce que j'ai.

Le bijoutier hésita :

– Bon... bon... c'est correct.

Et il déposa la chaîne au fond d'un joli coffret de velours rouge. Dédé était soulagé, et ses yeux brillaient de bonheur

De retour à la maison, il monta à sa chambre et, avec mille précautions, il déposa le coffret ouvert sur le coin du bureau. Papa Jos arriva sur le coup et vit le bijou. Il s'écria :

– D'où vient cette chaîne ?

Dédé ne dit mot, se leva promptement et s'en retourna à sa besogne. Manda rappela à son homme qu'il vaudrait mieux qu'il laisse son gars tranquille s'il ne voulait pas le perdre. Ignorant sa remarque, le vieux grincheux se dirigea vers la pompe à bras où son fils était en train de se laver les mains et lui demanda à nouveau :

– C'est pour qui ce p'tit coeur en or qui est sur ton bureau ?

– ...

– Dis-moi la vérité ! Et où vas-tu le soir, avec mon auto ? Tu m'as menti en disant que tu allais seulement au village. Il n'y a pas personne qui te voit. Où vas-tu ?

Dédé se dirigea vers la chaise brune et se mit à se bercer silencieusement, imitant en tout point son père. En effet, chaque fois que Jos se sentait acculé au pied du mur, il se réfugiait dans le va-et-vient de sa *chaise berçante*, muet comme une carpe. Bien malin qui aurait pu lui soutirer un mot dans ces moments-là.

La journée passa sans qu'aucune autre parole ne soit échangée entre les deux hommes. Vers les neuf heures, et sur un ton qu'elle voulait le plus conciliant possible, Manda dit à son conjoint :

–Viens te coucher, demain il va peut-être te répondre. Laisse-le tranquille un peu !

Ce soir-là, Jos s'endormit sur sa colère, très frustré de ne pouvoir connaître la vérité sur cette affaire. Le sommeil de Dédé fut troublé aussi. La réaction de son père le hantait. Le connaissant, il savait que cette histoire serait tout un drame.

Au petit matin, avant de sortir du lit, il se laissa envahir par la pensée de sa douce Phanie.

En descendant à la cuisine, il vit Jos assis au bout de la table. Il n'avait pas le goût de se battre encore, il avait plutôt envie de respirer à son aise. Sans dire un seul mot, il sortit sur la galerie, prit quelques bouffées d'air frais et décida, spontanément, d'aller chez Phanie. Il marcha, marcha, marcha. C'était une belle journée ensoleillée, et le goût de revoir sa bien-aimée le rendait heureux.

Le coeur battant, un peu gêné mais content, il frappa à la porte. La mère de la jeune fille vint ouvrir. Très poliment, il lui demanda s'il était possible que Phanie et lui se voient tous les deux, seuls, pour discuter.

Ils se retirèrent dans la petite cuisine d'été. Ses yeux brillaient tellement. Qu'il était heureux de la revoir!

– Je t'aime depuis la première fois que je t'ai vue, Phanie. Mais mon père n'est pas d'accord que je vienne ici, et j'ai un secret que je garde...

– Quoi, quoi, quel secret ?

– J'ai une belle surprise pour toi. À Noël, tu verras !

Diana trouvait sa fille beaucoup trop jeune pour être en amour. Mais le coeur n'a pas d'âge. Elle le savait trop bien.

Novembre s'installait peu à peu avec son temps maussade, ses arbres dépouillés, ses feuilles mortes et ses jardins endormis. C'était aussi le mois des morts, selon la tradition religieuse, et l'invitation aux longues soirées à l'intérieur de la maison. Bientôt la neige aurait tout recouvert de son linceul blanc. La nature devait mourir pour se renouveler, c'était la loi de la Création.

Dédé pensait toujours à sa bien-aimée. Il était songeur à longueur de journée. Il savait qu'à quinze ans, elle était bien jeune pour entreprendre une vie de couple avec tout ce que cela impliquait de tâches journalières dans la maison et sur la ferme.

Il fut tiré de ses rêveries à la mi-décembre, car il dut se préparer à faire boucherie pour la période des fêtes. Jos décida qu'en ce lundi, il fallait procéder à l'abattage du porc pour permettre à Manda de préparer les victuailles du réveillon et du jour de l'An.

Le cochon était suspendu la tête en bas, sur une échelle près du fournil. Dédé l'éventra, à partir de la queue, en évitant de percer les tripes. Après avoir enlevé le coeur et le foie, il recueillit tout le reste dans une cuve qu'il remit à Manda.

Elle dégraissa les boyaux, la panse et fit fondre le gras dans un chaudron en fonte. Le résidu qui flottait servirait à la confection des *cretons*. Elle déposa une partie des tripes dans un sceau d'eau et déposa une planche étroite sur la cuve de bois afin de les gratter avec un couteau. Après ce nettoyage, elle souffla dans les tripes pour vérifier s'il y avait des fuites. Ensuite, elle les déposa dans un plat d'eau salée entremêlée de sang de cochon. Puis elle vida la vessie qu'elle prit bien soin de gratter pour la rendre mince comme du papier de soie. Une fois l'opération terminée, elle la suspendit au tuyau du poêle à bois. La membrane, légèrement gonflée, était devenue mince et blanche. Dans une semaine environ, elle la frotterait pour la rendre encore plus souple. Elle borderait l'ouverture d'un biais pour la solidifier. Et son Jos aurait droit à une nouvelle blague à tabac.

Pendant tout ce temps, le maître était assis dans sa *berçante*, à la chaleur, et regardait tomber la neige à gros flocons.

Une fois que la tête de l'animal fut coupée, on la mit de côté pour faire de *la tête fromagée.* Manda fit cuire la panne qui lui servirait à faire les pâtés à la viande, les beignes et les tartes. Elle hacherait la viande pour les *cretons,* et les gigots pour les ragoûts. Même la queue du cochon, parce qu'elle était tortillée, servirait à accrocher les chapeaux et peut-être à jouer certains tours. Avec le reste des entrailles, elle fabriquerait du savon. Manda n'était pas à court d'idées pour passer le mois de décembre. Elle aurait bien apprécié que son mari lui offre un coup de main.

Jos avait toujours hâte aux fins de semaine pour aller voir « sa danseuse » à l'hôtel. Elle était déjà au cinquième mois de sa grossesse.

– Cet enfant, tu vas en être responsable, lui répétait-elle.

– Je vais y voir, mais tu sais, à soixante-cinq ans, un enfant...

L'homme n'éprouvait aucun sentiment d'amour pour la jeune femme. Sa seule préoccupation, c'était d'assouvir ses fantasmes sexuels, un point c'est tout. Tout son entourage bavardait ; seule son épouse n'était au courant de rien.

Fatiguée d'entendre son mari critiquer du matin au soir, Manda se changeait les idées en pensant à la fête de Noël. Elle se creusait les méninges pour préparer une fête chaleureuse pour Odilon, Louise, Dédé et Phanie. Elle faisait beaucoup de préparatifs pour cette belle nuit du réveillon. Jos, comme d'habitude n'était ni serviable ni *parlable*. Pour se réconforter, elle tricotait avec amour des mitaines, des bas, des gilets qu'elle offrirait en cadeaux.

La maison ancestrale aurait eu besoin de réparations, mais aux yeux de Jos, quelle importance. Tout ce qu'il trouvait à dire lorsque Manda y faisait allusion, c'était : « L'année prochaine, ça coûte trop cher. »

La messe de minuit était célébrée dans la salle paroissiale. Le bedeau avait allumé la *truie* au sous-sol du bâtiment, en prévision d'une soirée particulièrement mouvementée.

Dédé attela Badeau, la jument blanche, sur le *berlot.* Manda l'informa qu'elle resterait à la maison pour mettre la dernière main au réveillon.

Les deux tourtereaux prirent place dans la carriole, après avoir pris soin de déposer des fers chauds à leurs pieds. Odilon et Louise firent de même et s'installèrent sur la banquette arrière. Ils étaient tous les deux charmés de voir leur frère « en amour », mais ils ne laissaient rien paraître. Dédé et Phanie échangèrent un baiser dont les étoiles furent témoins, puis ce fut le départ pour la messe de minuit. Les grelots résonnaient joyeusement, et ce beau clair de lune ajoutait une note de féerie à la nuit. Badeau s'en allait fièrement ; connaissant le chemin, elle conduisit les amoureux, bien emmitouflés dans leur bonheur, directement au village. Dans le silence de la nuit, Phanie sentait son coeur agité par l'émotion. L'amour était entré dans sa vie.

Peu à peu, les femmes, chaudement encapuchonnées, et les hommes, vêtus, certains de leur *mackinaw* d'étoffe du pays, d'autres, de leur *capot* de fourrure, prenaient place dans la petite salle. Auparavant, on avait dételé les chevaux, on les avait couverts d'une *peau de carriole* et on les avait attachés. Lorsque le jeune couple entra dans la salle, certains chuchotèrent :

– C'est elle, la blonde à Dédé Poitras.

Noël! Noël!... c'était le bonheur au fond de leur coeur.

Jos était resté à la maison avec Manda. Il s'installa dans sa chaise, un peu en retrait du poêle qu'il venait de remplir de morceaux de bois sec, et sortit sa blague à tabac pour bourrer le fourneau de sa pipe tout à son aise. Les prochaines minutes, il les prendrait pour réfléchir calmement. Il en avait bien besoin.

Il eut à peine le temps de tirer quelques pipées que les aboiements répétés du chien, provenant de la cour de l'étable, attirèrent son attention. Il les ignora pendant quelques secondes, mais ces jappements aigus finirent par l'irriter jusqu'à le mettre hors de ses gonds. Il dut se résigner à sortir pour voir ce qui se passait. Enfilant ses bottes, il arriva promptement à la porte de l'étable. Elle était restée entrouverte, et une bonne épaisseur de neige s'était accumulée sur le seuil. Il eut envie de maugréer, mais ce qu'il vit le préoccupa davantage. La vache Caillette venait de mettre bas. Le veau nouveau-né, tout tremblant encore, reposait à côté d'elle. En l'absence de Dédé, il ne put s'empêcher de lui donner les soins nécessaires.

Avant de quitter l'étable, il jeta machinalement un regard autour de lui pour s'assurer que tout était en ordre. Il remarqua que Sortilège, la vache voisine, n'avait plus son veau.

– Où est-il passé? J'le vois pas nulle part...

Après quelques minutes de recherches infructueuses, il décida de revenir à la maison. Manda, agenouillée devant la croix noire, disait son chapelet et suppliait Dieu de corriger le mauvais caractère de son homme qui n'arrêtait pas de se chicaner avec son fils. Elle lui demandait aussi de le « guérir » de son amour de l'argent.

De leur côté, Dédé et Phanie, dans le silence de la communion, imploraient l'Enfant nouveau-né de les aider à remettre Jos sur le droit chemin.

À la sortie de l'église, les cloches sonnaient à pleine volée. La lune brillait de mille éclats de lumière, et les flocons de neige rendaient l'instant romantique.

Manda était fin prête pour le réveillon, mais Jos décida de passer outre aux festivités et se mit au lit avant l'arrivée des autres. Cependant, il ne dormait pas, il pensait à son veau perdu. Peu lui importait la table remplie de bonnes tourtières, de tartes aux petits fruits, de *cretons*, de *tête fromagée*, de ragoût et de beignes. Les odeurs alléchantes qui remplissaient la cuisine de Manda n'arrivaient pas à le distraire de sa préoccupation. Où était passé le veau de Sortilège ? Il finirait par le savoir.

Au retour de la messe, Dédé fit jouer le *grapho-phone*. Il choisit des gigues de La Bolduc, des airs de Noël comme *Minuit, chrétiens, Il est né le divin Enfant, Mon beau sapin*, etc. Il voulait mettre un peu d'ambiance dans la grande maison, en attendant que chacun prenne place autour de la table. À l'écart des autres qui s'affairaient dans la cuisine, les amoureux en profitaient pour s'enlacer et s'embrasser.

– Je t'aime.

– Moi aussi, Dédé, je t'aime.

Manda, le coeur remué par l'émotion, appela tout son monde pour le réveillon. Puis, on fit place à la danse, aux histoires et au plaisir de recevoir les cadeaux qu'elle avait préparés, tandis que Jos se *dérhumait* dans son lit pour rappeler à sa manière de ne pas trop faire de bruit, de ne pas le déranger.

Dédé, très fier, remit à sa bien-aimée le présent tant attendu. Manda se demandait bien où il avait pris l'argent pour se procurer un si beau bijou, mais ne fit aucune remarque à ce propos. Puis ce fut au tour de Louise, de Dédé et d'Odilon de s'extasier devant les petits chefs-d'oeuvre de leur mère.

Le lendemain matin, Jos, assis au bout de la grande table rectangulaire qui avait retrouvé son air des jours ordinaires, dit à Dédé :

– J'ai affaire à toi, je veux des explications. Où est passé le veau de Sortilège ? Je veux que tu m'expliques ! Est-il mort ? Est-il disparu ? Ou quoi encore ?

– Moi, j'ai décidé qu'à mon âge, j'avais droit à un peu d'argent de poche. Et le veau, je l'ai vendu à l'encan. Avec l'argent, j'ai acheté un cadeau à Phanie, répondit le jeune homme, le plus calmement du monde.

– Je suis propriétaire de mes animaux, de ma terre, de ma maison ! Tout m'appartient ! cria Jos, très en colère.

– Bon, ce serait peut-être le temps de donner un petit salaire à notre gars, dit Manda. Il est rendu à un âge...

– Moi, à partir d'à matin, je me cherche du travail ailleurs, dit Dédé, contenant ses larmes.

Parfois l'orgueil de Jos l'emportait sur l'amour de son fils de dix-huit ans.

– Tu me remettras l'argent de mon veau !

Les relations entre les deux hommes étaient de plus en plus tendues depuis cet incident. Pour supporter son fils, Manda fabriquait du savon d'habitant qu'elle vendait au village. Pendant ce temps, Louise l'aidait à rejoindre les deux bouts dans les tâches quotidiennes. Avec cet argent, elle remboursa le prix du veau à ce grognon de Jos. C'était, à son avis, la seule façon de le ramener à de meilleurs sentiments vis-à-vis de Dédé.

# Chapitre quatre

*Il y aura toujours un
cœur prêt à répondre
si l'Amour est notre
Credo.*

Jean-Raymond Bourdon

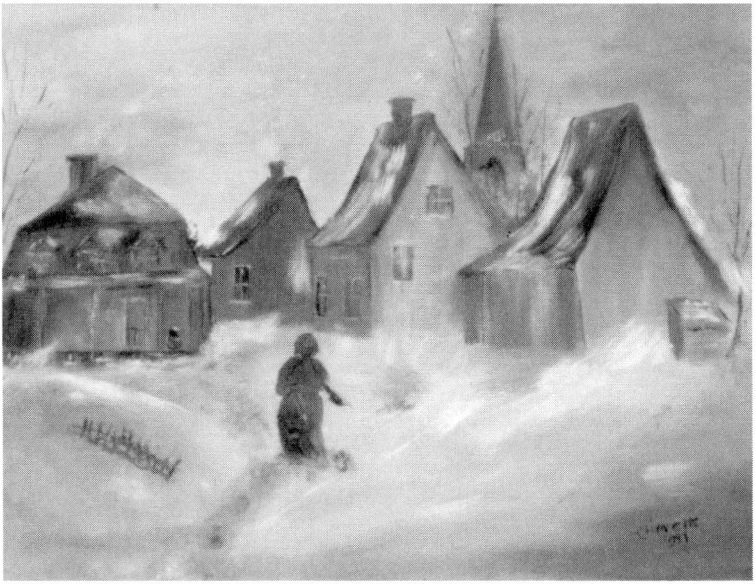

*P*AR de beaux après-midi, Dédé en profitait pour délaisser les travaux de la ferme, chausser ses raquettes et aller se promener avec sa bien-aimée dans le bois voisin. Son père avait un programme de vie bien différent. Il était couché à longueur de journée et se levait en début de soirée pour aller prendre son gin à l'hôtel et rencontrer Rébecca.

Celle-ci lui faisait des menaces depuis quelque temps. Un de ces matins, Manda prit connaissance d'une lettre que Louise avait ramenée du village et elle se mit à pleurer. Désemparée, elle se dit qu'il y avait seulement le curé Breton qui pouvait l'écouter et la conseiller. Dès le lendemain, elle partit à pied, dévalant les pistes du cheval sans s'en rendre compte, pour aller le rencontrer.

Fatiguée, à bout de souffle, elle sonna à la vieille porte du presbytère.

– Bonjour, Madame Poitras. Quel plaisir de vous voir ! Vous avez l'air bien fatigué, qu'est-ce qui ne va pas ?

Manda fondit en larmes.

– J'ai un gros secret, Monsieur le curé.

– Prenez le temps d'enlever votre manteau et de vous asseoir. Racontez-moi ce qui vous tracasse.

Manda sortit la lettre de sa poche et la lui tendit.

— C'est Jos ! Je le savais bien que ça arriverait un jour, s'exclama Amédée, peu surpris de la teneur de la missive.

Certaines mauvaises langues de la paroisse l'avaient déjà mis au parfum. Il se pencha vers Manda et prit ses mains dans les siennes. Un silence lourd les enveloppa.

Au bout de quelques secondes, se donnant une contenance, le curé suggéra à l'épouse éplorée d'aller rencontrer la danseuse en question pour la sommer de garder le silence sur cette histoire grotesque. Et selon lui, elle devait l'aviser d'une autre chose très importante : le bébé serait désormais considéré comme celui de sa future bru.

— Ben voyons donc ! répondit Manda encore sous le choc. Non, non, non... il n'en est pas question !

Elle se leva, remercia le curé Breton et sortit. Ce dernier ne fit rien pour la retenir, il savait qu'elle avait besoin de temps pour accepter cette épreuve.

— Bonne chance et revenez me voir, dit-il, en se prenant le menton d'un air soucieux.

Elle se rendit à l'église, fit brûler deux lampions, espérant que tout allait s'arranger pour le mieux.

Jos, toujours assis dans sa *berceuse* toute *dépeinturée* et grinçante, demanda à Manda d'où elle venait. Elle lui remit la lettre, sans dire un mot. La maudite chienne ! Je l'avais pourtant avertie de ne pas mêler ma famille à ça, se dit intérieurement l'homme en parcourant fébrilement le message de sa maîtresse. Il se leva et rejoignit son lit, comme d'habitude, pour penser à ce qu'il devait faire pour cet enfant. Quel déshonneur !

Au terme de cette journée particulièrement éprouvante, lorsque Manda se retrouva à l'étable avec son fils, elle lui annonça :

– Viens dans le coin de la laiterie, j'ai quelque chose de grave à te dire.

– Qu'est-ce qui se passe ? Vous semblez bien inquiète.

– Écoute-moi bien, Dédé. Ton père fréquente une danseuse de l'hôtel Chez Basile, et imagine-toi qu'elle attend un enfant de lui !

– Quoi ? un bébé ? Ça s'peut pas ! Comment elle s'appelle cette danseuse ?

Il se prit la tête à deux mains et, l'air désemparé, murmura : « Mon père, mon père… » Il évita de lui dire qu'il était au courant de cette triste affaire depuis qu'il était allé aux États avec son infidèle de mari. Elle en aurait trop de chagrin.

– Il y a seulement une solution.

– Laquelle ?

– Va falloir que tu te maries au plus vite avec Phanie. Comme ça, le monde ne s'en apercevra pas.

La suggestion de Manda assomma le pauvre garçon. Sa Phanie n'avait que seize ans. Accepterait-elle une situation semblable ? Avait-elle le droit de refuser ?

❧❀❧

Cette grossesse inattendue bouleversait profondément notre sexagénaire. Quel dur coup pour son orgueil ! Il se demandait jour et nuit : « Que vais-je faire ? À mon âge... Et ma famille ? Et le monde de la paroisse ? Il me faut trouver une solution au plus vite. »

Le ventre de Rébecca grossissait. Elle attendait son bébé pour le mois de mai. On était déjà en février. Il lui fallait sauver l'honneur de la famille et sa propre réputation ! C'est une *badluck* ne cessait de se répéter l'homme de plus en plus grognon.

❧❀❧

Assis au bout de la table, l'air mystérieux, Jos déclara à sa conjointe :

– Tu as été une bonne femme pour moi. Je vous ai fait vivre dans la pauvreté parce que je suis orgueilleux et vaniteux.

En entendant ces mots, Manda comprit que l'heure était venue pour Jos de faire des aveux. Ce n'était pas dans ses habitudes d'être si gentil. De fait, n'en pouvant plus de cacher son jeu, le vieux grincheux lui annonça sans ménagement :

— J'ai un grand secret à te dire, Manda. J'ai connu une danseuse à l'hôtel et je l'ai mise *en famille*.

— Quoi ? Quoi ? s'exclama-t-elle, prenant un air surpris.

Un long silence vint alourdir l'atmosphère. Le malaise qui étreignait Jos était palpable. Il avait le visage enfoui dans ses deux mains.

— Je le savais ! répondit calmement Manda.

Jos ne se montra pas surpris outre mesure de sa réaction, mais il se demandait bien quelle décision allait prendre celle qui partageait sa vie depuis plus de quarante-cinq ans. Il fut estomaqué de l'entendre dire :

—J'ai pensé que Dédé et sa blonde pourraient se marier au plus vite, pour qu'on fasse passer Phanie pour la mère de l'enfant que tu as fait à « ta danseuse » !

— Non, jamais !!!

— Connais-tu d'autres solutions ?

— Quelle honte pour la famille de cette jeune fille !

Le surlendemain, le futur père alla rencontrer sa compagne des beaux soirs pour lui parler de l'arrangement possible, tandis que Dédé se rendit voir sa dulcinée.

Manda se mit à tricoter la layette du poupon. Elle ne comptait plus les mailles. Les enfants lui demandaient pour qui elle préparait le petit gilet et le bonnet. Elle leur répondait, le plus naturellement possible, que c'était pour leur trousseau, plus tard.

Dédé était de plus en plus amoureux. Il se décida enfin à faire la *grande demande*. Il fut soulagé d'entendre monsieur Dufour acquiescer à son désir. La date du mariage fut fixée. Quel bonheur pour Phanie qui se mit à compter les jours et les invités! Quant à Dédé, il trayait Sortilège avec une douceur inhabituelle. Il voulait la remercier de lui avoir sacrifié son veau un jour.

Un soir que Manda voyait les deux tourtereaux s'entretenir joyeusement, elle risqua quelques mots :

– Avez-vous pensé à fonder une famille ?

– Pourquoi, dites-vous ça, maman ?

– Tu le sais. Et elle baissa la tête. Arrêtons de tourner autour du pot.

Dédé prit Phanie par la taille et lui raconta toute l'histoire :

– Mon père a fait un enfant à une danseuse. Elle veut qu'on adopte le bébé...

– Non, non, non ! Je ne veux pas ! s'écria Phanie, prise de panique.

– Voyons, est-ce que vous vous aimez, toi et Dédé ?

– Oui, bien sûr. Mais, qu'est-ce que le monde va dire ? Et mes parents ?

– Je vais vous aider. Tu ne vas pas l'élever toute seule, Phanie, ce bébé. Je serai toujours là pour t'initier à ta tâche de mère et t'aider dans ton travail.

Manda désirait être une belle-mère exceptionnelle et elle se promettait bien d'assister sa bru de son mieux

– Tu vas voir, on va bien s'arranger. Lorsque j'ai élevé ma famille, moi, je fabriquais tout de mes mains. Si tu as besoin de quoi que ce soit, je serai là. Ne t'inquiète pas.

Manda retourna voir le curé Breton pour lui parler de toute la souffrance qui était logée en elle.

– Vous savez, à propos de l'histoire que je vous ai racontée l'autre jour, j'ai discuté avec mon fils Dédé et sa future, et je leur ai suggéré de se marier à Pâques. Croyez-vous toujours que c'est la bonne solution ?

– Hélas ! quel fardeau pour cette petite Phanie Dufour, mais si elle est d'accord ainsi que votre fils...

Le curé Breton éprouvait un grand attachement pour Manda.

– Vous êtes une mère extraordinaire ; un jour, vous serez récompensée de votre grande bonté.

Réconfortée par ses bons mots, Manda repartit dans la *traîne à patates* tirée par le cheval. Le printemps était arrivé et le chant des oiseaux la réconfortait. D'un pas régulier, la bête la ramena vers la maison. Calmement, elle releva son châle pour envelopper sa tête et dit : « Oh donc ! Piton, avance plus vite ! »

Dédé bûchait son bois de chauffage. Équipé d'un *golendart,* d'une hache et d'un crochet, il défrichait les lots à bois du paternel. Il espérait bien en être l'heureux propriétaire un jour. Ce printemps, il bûchait une vingtaine de cordes de plus pour défrayer les coûts de son mariage. L'hiver avait été dur, il fallait ménager pour assurer sa subsistance.

La fête de Pâques s'en venait à grands pas. Pour s'y préparer, il fallait continuer de jeûner jusqu'au Samedi saint, à midi, et vivre les cérémonies des jours saints.

Chaque année, le matin de Pâques, Manda se levait très tôt pour aller cueillir « l'eau de Pâques ». Elle l'utilisait pour contrer tous les petits malheurs du quotidien, entre autres, quand il tonnait et éclairait, et que la pluie devenait très forte. Elle bénissait la maison, faisant de petites croix avec l'eau, pour être épargnée du malheur. Cette année, pourrait-elle aller cueillir son eau miraculeuse ? Le mariage de Dédé et de Phanie serait probablement un empêchement.

Et les grandes langues *bavassaient* :

– Paraît que Phanie est *en famille* et qu'elle se marie à Pâques.

Jos ne se montrait plus le bout du nez. Il évitait même de se rendre au village.

Le curé Breton avait fait le sermon du mercredi des Cendres sur les qu'en dira-t-on, le bavardage et les jugements téméraires. En ce temps de pénitence, il invitait aussi ses paroissiens à réfléchir sur la mort et la résurrection du Christ. Homme au grand coeur, mais au caractère opiniâtre par moments, il ne supportait pas les personnes à deux faces. L'histoire de ce petit village de cinq cents âmes était bien particulière. La majorité de ses habitants étaient de bons catholiques, des *mangeurs de balustrades* même, mais hypocrites ! Aussitôt sortis de l'église, ils en voulaient à l'un et à l'autre. Plusieurs essayaient de détruire leur prochain à coups de commérages et de menaces. La règle rappelant qu'on ne doit pas faire aux autres ce que l'on ne veut pas que les autres nous fassent était toujours pour les autres. Cela choquait beaucoup Manda. Elle savait trop bien que Jos était de cette race de monde. Elle comprenait aussi qu'il ne fallait pas essayer de le changer ; il était préférable de prier pour lui.

Depuis un moment, toutes ces réflexions la rame-
naient en arrière. Perdue dans ses pensées, elle se re-
mémorait des choses du passé :

Dans le temps de nos ancêtres, il fallait se
confesser. Avant la messe ou les vêpres,
on se rendait au confessionnal pour avouer
au prêtre tel ou tel péché commis dans la
journée ou la semaine. Qu'importait l'âge,
le péché était toujours là, mortel ou véniel.
Il y avait les sept péchés capitaux pour lesquels on n'obtenait pas le pardon aussi fa-
cilement qu'aujourd'hui ; il y avait l'empêchement de la famille, le blasphème, les
médisances sur le prochain, le vol, etc.

Il y avait aussi l'obligation de ne pas boire
et de ne pas manger à partir de minuit pour
pouvoir aller communier. Il y avait encore
une messe tous les matins, même trois le
dimanche, et les vêpres à sept heures du
soir, sans oublier le Premier Vendredi du
mois et les retraites fermées dans l'année.

De fil en aiguille, Manda se plaisait à ressasser dans
sa tête les habitudes de vie de ses vaillants prédéces-
seurs. Il y en avait tellement qu'elle aurait pu en faire
une litanie. Pour le moment, elle était occupée à faire le
tour d'un sujet bien particulier :

# Le médecin de campagne

Autrefois, les médicaments n'étaient pas très diversifiés. On utilisait le Pain-killer pour soulager le mal de gorge ; le breuvage de gingembre pour calmer le mal de ventre ; les écorces de tremble bouillies pour purger ; la cuillère à soupe d'huile de foie de morue, tous les matins au départ de l'école, pour éviter d'attraper les maladies virales ; le Wampole et la pilule rouge pour la ménopause.

Le médecin de campagne se déplaçait difficilement en « boghei » ou en « carriole » l'hiver. Il devait connaître et surtout soigner toutes les maladies, particulièrement la fameuse grippe espagnole, la paralysie infantile et la « consomption » comme disaient nos aïeuls. Plusieurs mouraient de ces maladies à l'époque.

Le médecin fabriquait des « mouches de moutarde », arrachait les dents à froid, amputait un membre lors d'un accident, désinfectait les blessures à l'aide d'un couteau de chasse à la lame brûlée et opérait en donnant de l'alcool au patient pour l'engourdir, c'était l'anesthésie du temps. Pour « ramancher » une jambe ou un bras cassé, il plaçait des « éclisses » de bois sur la partie du corps atteinte et les serrait du mieux qu'il pouvait. Quelque temps après, les os se soudaient, et le tour était joué !

Le docteur était un vrai sauveur. Il faisait la tournée de ses malades une fois par mois. Souvent, les patients n'avaient pas d'argent pour payer. « Je vous paierai plus tard. À ma paie de "beurrerie" lui disaient-ils. » Mais quelques-uns ne s'en souvenaient pas ou plutôt ne voulaient pas s'en souvenir.

Il devait aussi tenir une liste des accouchements dans son petit livre noir. Beau temps, mauvais temps, on allait le chercher. « Vite ! vite ! ma femme va accoucher ! » Il prenait sa trousse et tous les accessoires nécessaires. Les sages-femmes se préparaient à sortir les petits et les grands « piqués ». Parfois, il était demandé ailleurs.

Au moment de la fonte des neiges, ce qui provoquait des inondations, il devait emprunter des raccourcis, car les routes étaient souvent en mauvais état. Lorsque le cheval « calait », le médecin, debout, penchait tantôt à gauche, tantôt à droite, pour finalement terminer le trajet à pied.

Lors des accouchements, lorsque les mères avaient des contractions et qu'elles perdaient leurs eaux, on amenait les enfants chez les voisins pour quelque temps. On leur disait que les sauvages s'en venaient ou que le bébé était sous une feuille de chou. Lorsque la mère passait à deux cheveux de la mort, le curé de la paroisse était demandé à son chevet.

Les jours s'égrenaient. Jos ne dormait plus. Nombreuses étaient les nuits qu'il passait à regarder la lune et les étoiles. Il pensait à sa terre paternelle et surtout à sa maladie qui l'obligeait à ralentir son rythme de vie. Il ne pouvait plus se rendre à l'hôtel comme au cours des derniers mois.

Manda, de son côté, besognait toujours ; elle s'adonnait au tricot et au tissage pour que ce bébé à qui elle pensait constamment soit chaudement habillé le temps venu.

Debout à cinq heures le matin, Dédé et elle se rendaient à l'étable pour s'occuper des animaux, laver le *centrifuge* et les chaudières à lait. Manda revenait à la maison préparer le gruau pour Jos, qui ne disait pas un mot.

Depuis quelque temps, Phanie venait rendre visite à Manda pour lui demander des conseils sur sa robe de mariée :

– Une robe courte ou longue ?

– C'est plus de convenance une robe longue. Tu es belle, grande et mince, tu seras magnifique. Je pourrai te faire un beau diadème avec des bouts de dentelle et des fleurs à chapeaux. Je te confectionnerai aussi un voile.

Le prince charmant n'avait pas trop de sous non plus pour s'habiller. Il décida d'emprunter un habit marine de son cousin, et le chapeau et les souliers de son père. Diana, la mère de Phanie, et Manda s'affairaient à la préparation du repas de noces. L'oncle Sam des États, célibataire et frère de Jos, fut invité au mariage. C'était la grande nervosité en ces jours saints.

Les Dufour trouvaient que leur fille était jeune pour se marier, mais ils éprouvaient beaucoup de sympathie pour Dédé. À leurs yeux, c'était un bon parti. Depuis quelque temps, ils savaient que les demoiselles du rang regardaient passer avec envie la luxueuse Hudson et ils en éprouvaient de la fierté pour leur Phanie. Ils étaient également rassurés de constater que ce jeune homme démontrait de l'intérêt pour le travail sur la ferme. Que pouvaient-ils souhaiter de plus ? Rien ne leur permettait de croire que leur fille portait en son coeur un fardeau trop lourd pour ses dix-sept ans.

En ce dix avril 1941, il fallait être à l'église à neuf heures. Pour les circonstances, Jos attela la jument et sortit le *robertail* repeint en noir avec de petites décorations dorées. Les cinq membres de la famille prirent place dans cette voiture qu'on ne sortait que pour les grandes occasions. Ce jour de Pâques était radieux, et Dédé, assis sur la banquette arrière en compagnie d'Odilon, réalisait à peine qu'il était la cause de ce branle-bas.

Jos s'arrêta devant l'église et laissa descendre le marié, seul, avant d'aller attacher la jument. Ce dernier se dirigea aussitôt vers Phanie. Elle était éblouissante dans sa robe toute simple. Fou de joie, les yeux dans l'eau, il lui chuchota : « Je t'aime, Phanie. »

Jos ne disait pas un seul mot. La vue de ces deux tourtereaux le mettait en rogne. La musique de la marche nuptiale et les chants composés par Marie, la sœur cadette de Phanie, rendaient l'ambiance très romantique. Le bonheur et la joie se répandaient sur les visages. Manda se laissa gagner par l'émotion et essuya discrètement quelques larmes.

Le repas de noces fut couronné par un superbe gâteau et d'appétissantes tartes aux pommes que les deux mères avaient confectionnés avec art. Les fruits provenaient du verger de Jos.

L'oncle Sam en avait profité pour apporter quelques boîtes des États. Elles contenaient des robes, des pantalons, des jupes, des chemises et des manteaux. Avec une patience d'ange, Manda rafistolait tous ces vêtements pour qu'ils soient réutilisables. La visite de cet oncle était toujours agréable. Tout le monde était content de le voir.

Le soir venu, Dédé eut congé de son *barda* à l'étable. Quelques membres de la parenté lui offrirent gentiment de s'en occuper. Le nouveau marié avait hâte de se retrouver seul avec sa femme, au lit. Manda leur avait préparé la chambre du fond, près du grenier, pour qu'ils soient plus tranquilles. Elle comprenait que les jeunes mariés avaient besoin d'intimité. Leur désir de coucher à l'écart de la famille était bien légitime parce que les ressorts grincheux du matelas les auraient empêchés de donner libre cours à leurs ébats de nouveaux époux.

Vers huit heures, Jos dit :

– On va se coucher, je suis fatigué. Et puis vous autres, les nouveaux mariés qui vous bécotez, montez donc !

Ce furent ses seuls commentaires de la journée. Il alla faire du feu et tira une pipée, tandis que Manda et Louise ramassaient les modestes présents que les nouveaux mariés avaient reçus.

Le matin venu, dès cinq heures, Jos dit à sa femme :

– On va faire le train avec les enfants. Laissons-les se reposer.

Au retour de l'étable, la galette de sarrasin, le lait caillé et le lard salé étaient sur la table. Manda avait fabriqué des pantoufles, style mocassins, faites d'une seule pièce de cuir qu'elle tendit à Dédé et à Phanie en disant :

– Vous avez fait la grasse matinée, les jeunes, venez, on va déjeuner tous ensemble.

Tous prirent place à la grande table, et Jos s'installa au bout, comme à l'accoutumée. Prenant son air arrogant de toujours, il laissa échapper :

– Une de plus aujourd'hui.

Phanie n'éprouvait aucune sympathie pour son beau-père. Spontanément, elle se leva et dit :

– On va avoir un bébé en plus !

– Vous allez travailler plus fort et apprendre à l'élever...

C'était le mystère pour Odilon et Louise. D'où venait-il, ce bébé ?

Le jour des noces était déjà chose du passé, et Phanie n'allait pas tarder à s'en rendre compte.

– On va se mettre au travail, il faut tondre les moutons à matin.

Dans un silence de mort, Jos, Dédé et Phanie se dirigèrent vers la grange. Le vieil homme remit des cisailles à la jeune femme, sans aucune explication. Tout ce qu'elle comprit, c'est qu'elle devait savoir comment tondre les moutons avec cet instrument. Après quelques vaines tentatives, alors que Dédé tenait les bêtes à bras-le-corps, du mieux qu'il pouvait, Phanie jugea qu'elle en avait assez d'être traitée comme une idiote. Elle déposa les ciseaux par terre et partit en direction de la maison. Elle avait la gorge nouée par l'émotion.

– T'es pas bonne à grand-chose !

– Papa ! elle n'a jamais fait ça !

Manda, qui suivait la scène derrière la fenêtre, accueillit sa bru en larmes :

– Ne t'en fais pas, Phanie, tu vas apprendre à le connaître, il n'y a que l'argent qui compte pour lui.

La jeune femme se mit à sangloter et, sans dire un mot, monta dans sa chambre. Elle s'étendit sur le lit, fixant le plafond comme si ses yeux venaient de repérer une imperfection qui méritait d'être observée de plus près. Maman me l'avait bien dit que j'étais trop jeune pour me marier, pensa-t-elle, désolée.

Après discussion avec son mari et sa belle-mère, il fut convenu qu'elle s'occuperait surtout des corvées de la maison à l'avenir.

– Tu vas faire le grand ménage du printemps. Ici, on ne garde personne à rien faire. Il faut nettoyer le fournil et préparer la maison d'été pour le déménagement en mai. Ensuite, il faudra laver la grande maison pour la venue du bébé, sortir la berceuse du grenier, laver les petites couvertures qu'on sortira des « boules à mites », expliqua Manda. Elle savait que Jos les surveillait du coin de l'oeil. Ce dernier esquissa un sourire en coin qui eut le don d'irriter sa bru davantage.

En ce début de mai, la journée avait été très chaude. Jos et Manda étaient sortis se bercer sur la galerie, tôt après le souper. Emmuré dans sa solitude, l'homme réfléchissait au cauchemar qu'il était en train de vivre.

Sa conjointe des bons et des mauvais jours n'osait engager la conversation parce qu'elle était consciente de sa souffrance,

Soudain, au loin se dessina la silhouette d'une femme vêtue d'un long manteau. Celle-ci avait l'air de marcher péniblement dans le chemin boueux. Lorsque Jos la vit prendre l'entrée, il la reconnut et en eut un coup au coeur.

– C'est moi ! Tu ne pensais pas me voir de sitôt, hein ? Mon bébé va naître ces jours-ci.

Manda pencha la tête sans dire un mot.

– Entre dans la maison, on va parler, dit doucement l'homme en se levant avec difficulté de sa chaise.

Rébecca alla droit au but. Elle avait des conditions, elle voulait de l'argent. Jos, intrigué, lui demanda :

– Combien ?

– Deux mille.

– Deux mille piastres ! Tu es tombée sur la tête !!!

– Ça me les prend, sinon tout le monde du village de Saint-Césaire va le savoir !

Cette somme était énorme, elle représentait presque la valeur de sa terre. Pour éviter que Manda ne suive leur conversation, il lui chuchota à l'oreille :

– Bon, *assis-toi...* je vais t'en donner mille cinq cents pour aujourd'hui.

Il ne se sentait pas capable d'affronter celle qui était assise en face de lui parce qu'il avait le coeur chaviré. Et sa pauvre femme, assise sur la galerie... Dans le plus grand silence, il remit la somme à sa maîtresse.

⁓⁓

À la mi-mai, Jos reçut la visite de Rébecca.

– Je t'apporte ton bébé. C'est une fille et... elle est infirme.

– Quoi ? maudite chienne !

– Prends-la, je ne la garde pas. Elle est à toi ! dit-elle, insistant sur chaque syllabe de sa dernière phrase.

Rébecca laissa le bébé sur la table et repartit aussi vite qu'elle était venue. Manda s'approcha et, avec douceur, ouvrit le lange. La petite n'avait pas de mains.

– Quel malheur ! s'exclama-t-elle. Qu'est-ce que le monde va dire ?!!

Dédé et Phanie arrivèrent de l'étable sur ces entrefaites et eurent la surprise de voir ce petit être au visage angélique qui dormait paisiblement. Phanie prit le bébé dans ses bras.

– On va t'aimer, ma petite, tu en as bien besoin. Je vais prendre soin de toi, et tu seras heureuse avec nous.

Elle la berça et lui murmura tendrement : « Tu es à moi. »

Il fallait faire ondoyer ce bébé le plus tôt possible. Monsieur le curé Breton fut avisé de son arrivée au cours de la matinée même et se rendit chez les Poitras tôt après le dîner. En constatant l'infirmité de Zoé, il se montra ému et la baptisa avec beaucoup d'égards.

La tâche devint lourde rapidement pour Phanie, surtout à cause de Jos qui n'aimait pas entendre pleurer Zoé. Au besoin, elle montait dans sa chambre pour la cajoler, la bercer et lui chanter une berceuse : « Dodo, l'enfant do, l'enfant dormira bientôt... »

Le soir venu, la jeune mère faisait sa prière en demandant au bon Dieu de lui donner la force et le courage d'élever ce bébé dans l'amour. Elle désirait de tout son coeur garder l'enfant, mais elle entrevoyait déjà de grandes difficultés pour elle-même et Dédé. Ses parents ne devaient pas être informés de son secret. C'est pourquoi elle cachait Zoé chaque fois qu'il venait quelqu'un à la maison.

Au cours de l'été, Rébecca revint dans le coin et recommença à danser à l'hôtel de Saint-Cézaire. Jos se rendit la voir de nouveau. Elle lui demandait chaque fois s'il était possible de revoir Zoé. Mais pour Manda, il n'était pas question que « la danseuse » rebondisse à la maison.

La jeune mère adoptive aimait son poupon, elle le trouvait adorable, mais lorsqu'elle réfléchissait à son avenir, une angoisse indicible lui serrait le coeur. Que deviendra Zoé plus tard ? pensait-elle dans son for intérieur. Cette seule pensée imprimait dans ses yeux une immense tendresse qu'elle savait communiquer à ce petit être fragile, si dépendant d'elle.

Tôt ce matin-là, Dédé allait livrer ses oeufs au village. Il arrêta chez Rébecca, bien décidé à faire une mise au point :

– D'abord, on va mettre cartes sur table !

– Je veux seulement aller la voir, dit la mère sur un ton suppliant.

– Non ! Ma mère ne veut pas et elle a raison. On dit que c'est la fille de Phanie, un point c'est tout. Notre vie de couple, à Phanie et à moi, doit demeurer à l'abri de tout soupçon.

– Mais juste la voir.

– Voilà que tu demandes à la voir, maintenant que tu l'as abandonnée et « livrée » chez nous ! C'est trop tard, Zoé est à nous. Phanie l'élèvera de son mieux, et nous l'aimerons de tout notre coeur.

Sans attendre la réponse de Rébecca, Dédé sortit pour aller continuer sa *run*. Il était de plus en plus conscient des rumeurs qui circulaient dans la paroisse : « Y paraît que Phanie Poitras a eu son bébé et qu'il est infirme ! »

↶✕✕↶.↶⁓

Lorsque Manda était allée au presbytère pour rencontrer le curé, la servante avait prêté l'oreille à leur conversation. Très curieuse de nature, elle voulait en avoir le coeur net. Elle décida donc, un beau vendredi matin, de se rendre chez Manda prétextant avoir besoin de laine pour se tricoter des bas. Ainsi, elle pourrait vérifier s'il y avait bel et bien un bébé chez les Poitras.

Phanie avait pris l'habitude de cacher Zoé dans la chambre, en haut, lorsqu'elle voyait arriver quelqu'un dans la cour mais, cette fois, à son grand désarroi, la petite se mit à pleurer au moment où mademoiselle Galibois s'apprêtait à partir.

– Vous avez un bébé ? Depuis quand ?

– On le garde pour quelques jours, répondit Manda sur un ton détaché.

Zoé n'arrêtant pas de pleurer, Phanie dut se résigner à monter la chercher. Pendant ce temps, la « punaise de sacristie » étirait la conversation. Elle verrait ce qu'elle était venue voir. Lorsque Phanie arriva à la cuisine, avec l'enfant dans les bras, la servante estomaquée échappa :

–Oh!... pauvre petite ! Quelle triste vie elle aura !

# Chapitre cinq

L'union
fait
la force.

Un soir de grand vent, Jos revenait de l'hôtel. La nuit était avancée, et l'indomptable don Juan souhaitait rentrer chez lui en douce, comme à l'accoutumée. Le sort en avait décidé autrement. À sa grande surprise, en prenant l'entrée vers trois heures et demie du matin, il vit une épaisse fumée s'échapper de la grange. « Malheur de malheur ! » hurla-t-il, en serrant les dents et en se cramponnant au volant. Pris de panique, en sortant de sa voiture, il claqua la portière et échappa ses clefs. Il se pencha aussitôt pour les ramasser, dans la demi-obscurité, mais il saisit au passage un amas de cailloux qu'il fit voler en poussière autour de lui, se blessant légèrement à la main droite. Dans son énervement, il n'en prit pas conscience. Il courut à la maison, ventre à terre, et alerta tout le monde de sa voix tonitruante : « Au feu ! Au feu ! »

Dédé fut debout en moins de temps qu'il ne faut pour le dire.

– Va chercher de l'aide chez les voisins ! Vite ! hurla-t-il.

Pendant ce temps, voyant que le feu courait de toutes parts à l'intérieur du bâtiment, il se dépêcha de faire sortir les animaux horrifiés. Dieu du ciel, quelle malchance ! Aucune assurance en plus ! Dans sa tête, l'idée de tout perdre l'atterrait.

Un fanal avait été placé près de la vache qui venait de mettre bas. Était-il resté allumé ? C'est la question que Manda se posait et elle pleurait en silence. Dédé arriva avec les voisins. La nouvelle s'était répandue comme une traînée de poudre. Presque tous les hommes du rang avaient apporté chaudières et tonneaux, mais il était trop tard. Ils arrosèrent quand même les débris pour éviter que le feu se répande aux autres bâtiments.

Tout était rasé, il fallait reconstruire une grange et une étable au plus vite. Au cours des jours qui suivirent, Dédé s'occupa de mettre les animaux à l'abri chez quelques voisins, puis s'attaqua à une rude besogne : il prépara une charge de billots de bois qu'il avait coupés au cours de l'hiver et les transporta au moulin à scie du village. Il en ramènerait des madriers et des planches pour commencer la corvée.

La reconstruction allait bon train. Manda et Phanie faisaient la « popote » pour nourrir les vaillants bénévoles. Elles se faisaient aussi un plaisir de leur offrir un petit verre de Miquelon ou de vin de blé au moment de la pause.

Ces gestes de solidarité rendaient l'épreuve plus supportable pour les Poitras. C'était surtout par amitié pour le jeune couple et Manda que tant de gens étaient de la corvée, car Jos était un être acariâtre et peu sociable aux yeux de plusieurs. Il n'aurait pas mérité à lui seul autant de sympathie.

Trois jours plus tard, la grange et l'étable étaient reconstruites. Il ne restait qu'à couvrir les toitures de bardeaux de cèdre. L'entraide et le partage des tâches lors de cette épreuve avaient effacé de vieilles rancunes. Les voisins avaient prêté un *centrifuge*, des chaudières à lait, des barils pour l'eau et tout l'attirail pour subvenir aux besoins essentiels des animaux.

Pendant ce temps, Phanie berçait Zoé en lui chantant : « Meunier, tu dors, ton moulin bat trop vite... » Bien déterminée à la garder, elle ne voulait pas voir Rébecca dans le décor, car l'amour qu'elle portait à cette enfant infirme était plus fort que tout. De jour en jour, son attachement pour elle grandissait.

Jos rencontrait encore sa maîtresse à l'hôtel régulièrement. Les événements récents ne semblaient plus l'affecter autant. La vie avait repris son cours exactement comme avant, et cet homme était toujours le même, infidèle, grippe-sous et grincheux.

Comment va Zoé ? lui demanda Rébecca lors de leur dernière rencontre.

– Je commence à faire bon ménage avec ma bru. Tu pourrais venir la voir en son absence, mais un peu plus tard.

# Chapitre six

*Les larmes
précèdent la joie.*

PÉTRARQUE

HANIE aimait bien faire prendre l'air à Zoé. Par un bel après-midi, elle descendit le berceau, le plaça sur le perron et prit soin de couvrir la petite d'une couverture de laine. Sachant que celle-ci dormirait profondément au grand air, elle en profiterait pour aller aux petites fraises près de la ferme.

Le soleil inondait la campagne d'une douce chaleur, et le champ regorgeait de ces petits fruits rouges, charnus et sucrés, avec lesquels elle ferait de délicieuses confitures. Elle faisait sa cueillette en toute quiétude et profitait de ce moment de répit pour penser à elle un peu. Quel bonheur de se sentir libre et d'oublier les tracasseries de la vie quotidienne pendant une heure ou deux. Après un certain temps, elle pensa qu'il était temps de rentrer. Zoé était peut-être en train de se réveiller. Elle déposa un couvercle sur son contenant rempli aux trois quarts et se dirigea, satisfaite, vers la maison.

Quelle ne fut pas sa surprise, en se penchant sur le berceau, de constater qu'il était vide. Épouvantée, elle se mit à crier :

– Zoé ! Zoé ! Zoé !... Belle-maman, ma petite Zoé est disparue !

Elle courut à toutes jambes vers l'étable pour avertir Dédé.

— La petite est disparue !

— Quoi ? C'est pas possible !

— C'est Rébecca, j'en suis sûre. Elle nous l'a reprise. Non! Non !

Phanie pleurait. S'en retournant vers le berceau vide, elle vit apparaître la Hudson au loin.

Jos lui dit, en sortant de la voiture, qu'il avait l'enfant avec lui. Elle s'approcha de son beau-père et, prompte comme l'éclair, rouge de colère, le gifla :

— Vieil hypocrite ! Vous faites passer sur mon dos la naissance de Zoé, alors que c'est vous et votre « danseuse » qui en êtes les responsables, avec vos parties de jambes en l'air. Vous la revoyez encore, hein ? Dites-le-moi !

— C'est à elle, ce bébé, pas à toi, répondit-il sans sourciller.

— Jos, tu n'as pas le droit d'agir comme ça. Cette femme a donné son enfant, nous avons sa parole ! répliqua Manda, scandalisée par la réplique de son mari.

Au fin fond de lui-même, Jos pensa qu'il serait préférable que Rébecca cesse de tourner autour de Zoé.

# Chapitre sept

*Vivre d'un rayon de
soleil, des riens qui
nourrissent l'amour,
d'une larme oubliée,
d'un rêve retrouvé.*

KENNY KUHR

**O**N était au début de juin. Un soleil radieux se pointait pour réchauffer la terre. Manda avait préparé ses semis et ses plants de tomates à l'intérieur pour prendre de l'avance, le beau temps venu.

Son jardin était magnifique, on y retrouvait des tomates, des fèves, des concombres, des *patates*, de la salade frisée, du persil, et, au-dessus de la butte de fumier, les citrouilles se gorgeaient de chaleur en s'agrippant à la vieille clôture de *broche*.

À l'automne, elles devenaient très grosses et servaient à faire de savoureux desserts : morceaux en conserve, confiture, gelée et galettes. Manda faisait sécher les graines de citrouille en plein soleil. C'était, paraît-il, un bon remède pour les jeunes enfants qui faisaient pipi au lit.

À cette époque, il y avait la bénédiction des graines de semence. Au cours d'une cérémonie religieuse, on demandait à la divine Providence de veiller sur les récoltes, puisque les produits de la terre faisaient partie des principaux moyens de subsistance. Jos ne se présentait jamais à l'église à cette occasion. Il ne croyait plus ni à Dieu, ni à ses ministres du culte, ni à leurs cérémonies étranges.

– L'eau bénite, c'est quoi cette affaire-là ? La procession, les prières et les grandes litanies, qu'est-ce que ça nous donne ? marmonnait-il à qui voulait l'entendre.

Lorsque le curé Breton le rencontrait, il lui faisait souvent une remarque :

– Personne n'est à l'abri du malheur, Monsieur Poitras, personne.

– Je suis encore vivant, et toutes ces histoires de fou, si vous y croyez, vous, c'est votre affaire. Moi, je n'y crois plus !

Il n'y avait que l'argent pour l'atteindre. Rien d'autre que l'argent.

# Chapitre huit

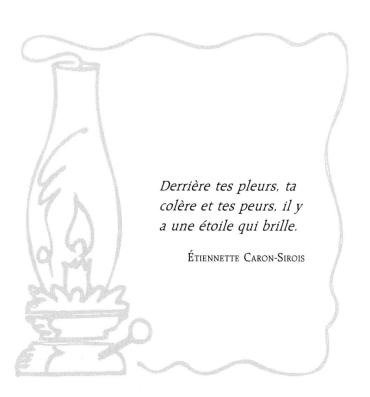

*Derrière tes pleurs, ta colère et tes peurs, il y a une étoile qui brille.*

ÉTIENNETTE CARON-SIROIS

À la barre du jour, des cocoricos sonores réveillaient les poulettes entassées dans un même coin du poulailler. Elles s'alignaient fièrement sur le juchoir et attendaient leur repas quotidien. Elles picoraient des graines de sarrasin, d'orge et de blé, des morceaux de légumes et parfois des écailles d'huîtres.

Manda transportait les oeufs couvés à la maison pour leur procurer plus de chaleur. Lorsque les poules couveuses couvaient trop longtemps, elle les amenait à l'extérieur du poulailler durant quelques jours. Ces dernières continuaient à pondre dans les broussailles et aux alentours de la grange. Parfois, des gloussements se faisaient entendre de loin, c'est que des prédateurs rôdaient près du poulailler.

À l'automne, ce fut l'abattage des plus vieilles poules et des coqs, en vue de la préparation des réserves de viande pour la saison hivernale. Plumer ces oiseaux de basse-cour exigeait une certaine habileté. Manda fit une démonstration à Phanie pour l'habituer à ce genre de travail qu'elle aurait sûrement à faire seule un jour ou l'autre. Elle conservait les plumes et les faisait sécher sur une sorte de trépied dans le fourneau du poêle à bois. Manda expliqua aussi patiemment à sa bru comment rembourrer les oreillers et les paillasses avec ces plumes.

Malgré ses soixante-trois ans, elle était encore très vaillante, mais avait-elle le choix ? À cette époque où c'était l'homme qui décidait de tout. Et puis, elle était consciente de la valeur de son travail. Elle se sentait utile et valorisée d'apporter un peu de confort aux siens.

Quotidiennement, elle allait traire les vaches, filtrait le lait, le transvidait dans des plats de fer-blanc, en recueillait la crème qu'elle déposait dans la *baratte à beurre*. Enfin, elle pétrissait le beurre, en extrayait le lait avec le rouleau à pâte et le déposait dans la saumure. Ensuite, elle se servait de moules pour fabriquer ses livres de beurre qu'elle vendait au marché du village. Manda était douée pour faire le *lait caillé* saupoudré de sucre d'érable. C'était le dessert préféré de Louise.

Afin de ne rien gaspiller, elle taillait des morceaux dans de vieux vêtements qu'elle tissait pour faire des *catalognes*. Elle faisait aussi des tapis tressés. Elle cardait également la laine des moutons et elle prenait soin de la teindre avec du jus de betteraves.

Elle sarclait son jardin toujours de très bonne heure, puis ensuite, elle s'occupait des fleurs de monsieur le curé. Ce dernier était très fier des abords de son presbytère et de son église.

# Chapitre neuf

Meunier, tu dors,
ton moulin
bat trop vite.

$L$ E meunier de Saint-Cézaire devait ouvrir les portes de son moulin au petit jour afin d'accueillir la nouvelle récolte. Les cultivateurs lui apportaient du blé et du sarrasin. La première céréale servait à la fabrication du pain et la seconde, à la confection de bonnes galettes nourrissantes. Ils y faisaient aussi broyer la moulée qui servait à engraisser les porcs avant la boucherie.

Les poches de grain étaient vidées dans les trémies ; le meunier en gardait une certaine quantité dans un baril en guise de rémunération. Évidemment, lorsque le sac de grain contenait plus de deux *minots*, la mesure était doublée.

Le meunier travaillait très tard le soir, à la lueur du fanal. Avec l'aide de quelques voisins, il pouvait moudre de huit à vingt minots à l'heure, selon la sorte de grain. C'était la finesse de la farine qui garantissait la qualité du pain. Un bon meunier ne pouvait ignorer cette vérité.

Quand la trémie était comble, le meunier en profitait pour « piquer un somme », les pieds sur la *bavette* du poêle !

Lorsque Jos Poitras allait porter son blé et son sarrasin chez le meunier de Saint-Cézaire, il réclamait tou-

jours une farine de moindre qualité. C'était plus écono-
mique. Cuisiner avec de la fleur de farine, c'était pour
Manda un rêve inaccessible

# Chapitre dix

La chose la plus précieuse que l'on possède est aujourd'hui.

*Z*oé demandait beaucoup d'attentions et de soins, sa santé était fragile. Phanie commençait à l'asseoir dans sa *chaise haute* : « Petit ange du ciel ! Que tu es belle, Zoé, avec ton regard plein de tendresse ! »

Un bon matin, en se réveillant, Phanie dit à Dédé, tout bas :

– J'ai mal au coeur. Je crois que je suis *en famille !* Avant de l'annoncer, je vais aller rencontrer le docteur pour être plus sûre.

– Oui, gardons ça pour nous, veux-tu, mon amour ?

Jos avait caché le gros cigare que Sam lui avait offert ; il décida d'y goûter ce matin même. Ce n'était guère mieux que l'odeur du tabac brûlé de sa pipe. La *boucane* montait en gros nuages jusqu'au plafond, et la senteur s'imprégnait dans la maison pour toute la journée. Mais il ne fallait pas dire que cela puait ! C'était d'autant plus désagréable que le tabac traînait ici et là, sur le coin de la table, dans la *berceuse*, sur le rebord des fenêtres. C'était du tabac qu'il hachait lui-même. Quel gâchis et quelle odeur !

Cette fumée n'aidait pas Phanie, elle ne se sentait pas bien du tout. Elle aurait aimé se confier à ses parents, particulièrement à sa mère. Il lui arrivait encore de repenser à ce que celle-ci lui avait dit avant son mariage : « Tu es bien trop jeune pour te marier, ma fille. »

— Petite créature, tu as l'air *feluette*, lui dit le docteur Leclerc. Prends le temps de t'asseoir.

— Docteur, je crois que je suis enceinte.

— Je vais prendre ta pression.

— J'ai pas une *cenne*, il ne faut pas le dire à monsieur Poitras, mon beau-père.

Le docteur lisait beaucoup d'inquiétude dans les yeux de Phanie.

— Toi, tu as un secret à me dire. N'aie pas peur, j'ai entendu les racontars. Il paraît que tu gardes un bébé ?

— Non, non... C'est pas vrai ! répondit farouchement la jeune femme, en baissant la tête et en se mettant à pleurer. Euh... il faut que je vous raconte, Docteur, mais vous me jurez de ne pas le dire à d'autres ?

— C'est un secret entre nous.

Le docteur lui prit la main et l'écouta attentivement.

— Mon beau-père a fait un bébé à sa maîtresse... La petite fille est née en mai. Dédé et moi, nous nous sommes mariés au début d'avril, en disant que cette enfant était à nous. Et par malheur, elle est infirme.

— Infirme ?!!

— Oui, elle n'a pas de mains.

— Non, mais ce n'est pas vrai !

– Oui, c'est la vérité. Il est de monsieur Poitras, ce bébé-là. Moi, je l'aime et je lui donne tout l'amour que j'ai. Zoé est si belle, et je l'élève de mon mieux, Docteur.

– Je suis certain que tu es une bonne mère, Phanie. Reviens me voir dans quinze jours.

Phanie avait une grande confiance envers le docteur Jean-Baptiste Leclerc, cet homme de forte stature, mais si doux avec elle.

La jeune femme s'en retourna chez elle à pied. Elle était très fatiguée. En entrant, elle vit un homme à la cuisine, assis près de la table.

– C'est vous, le *quêteux* ?

– À qui cette belle fille-là ? dit le mendiant, tout souriant.

– C'est la femme à Dédé, répondit Manda.

Sans dire un mot, Phanie s'en alla éplucher quelques *patates* pour le dîner.

Lorsque le quêteux Ti-Noir venait faire sa visite bisannuelle, Jos déguerpissait parce qu'il ne voulait pas le rencontrer. Serviable et d'agréable compagnie, le visiteur se rendit à l'étable pour donner un coup de main à Dédé. Il avait un métier, celui d'affûteur de ciseaux et de couteaux. À chacune de ses visites, il redonnait une nouvelle vie au grand couteau de cuisine que Manda utilisait quotidiennement et à ses ciseaux qui avaient souvent taillé des tissus trop rudes pour leur capacité.

À l'heure du repas, Manda lui offrit d'enlever son pale-
tot.

– Je n'ai rien en dessous.

– C'est pas convenable, Ti-Noir, je vais te prêter un
pantalon à Jos.

Sur ces entrefaites, celui-ci entra dans la maison.

– Pas mes pantalons sur lui !

– Vieux Christ, tu vas enlever mes pantalons tout de
suite ! Prends la porte et que j'te r'vois pus icite !

Ti-Noir s'exécuta en saluant Manda et le reste de la
famille.

– Je reviendrai quand votre mari n'y sera pas.

Il alla chez le voisin, se procurer des sous-vêtements
et des pantalons. Après le dîner, il s'assit sur une di-
gue de roches et joua une *toune de musique à bouche.*
Les enfants l'aimaient bien, ce vieux clochard. Il chan-
tait des chansons de la Bolduc, *turlutait* et racontait
des petites histoires. Il attirait les enfants par sa jo-
vialité. En été, Ti-Noir couchait à la belle étoile et parfois dans les granges.

Heureusement qu'il n'y avait pas seulement des êtres
insensibles comme Jos à Saint-Cézaire, car les quêteux
n'y auraient pas eu leur place. Même s'il trouvait cet
homme sans-coeur, avaricieux et orgueilleux, Ti-Noir ne
s'en faisait pas pour si peu. Il avait un coeur de philo-
sophe et, pour lui, la vie continuait son cours.

# Chapitre onze

*Si le chapeau
te fait,
mets-le donc !*

*S*i Manda n'était pas riche, elle avait une certaine fierté. Elle portait toujours un chapeau lorsqu'elle avait une sortie, que ce fût pour visiter monsieur le curé, pour vendre ses produits au village, pour assister à un mariage ou à des funérailles ou pour aller à l'église le dimanche. À Noël, à Pâques ou les jours ordinaires, Manda se coiffait fièrement d'un bibi de sa confection.

Au magasin général, la modiste concevait des modèles pour sa clientèle, et Manda les examinait avec attention. Elle exécutait ensuite ses coiffures avec d'anciens chapeaux usés ou malmenés qu'elle achetait pour quelques sous. Elle les transformait avec des rubans de diverses couleurs, des bouts de feutre et de tulle. Manda était très habile de ses mains et avait une imagination fertile. Elle portait tantôt un bibi à voilette, tantôt un cabot à plumes ou un béret avec une boucle de feutre. En d'autres circonstances, c'était son chapeau de feutre garni de tulle ou sa coiffure de velours bleu royal qui faisait détourner les regards. Sous le soleil de l'été, un joli chapeau de paille blonde donnait de l'éclat à son visage, et elle n'allait jamais travailler à l'extérieur sans son chapeau-jardin.

# Chapitre douze

*Le chemin de la vie est
parsemé d'épines.
Lorsque l'une d'entre
elles nous transperce,
nous devons l'arracher
et continuer notre
route.*

ÉTIENNETTE CARON-SIROIS

Avec le retour de la belle saison, il était de coutume de décorer la grande croix noire que nos ancêtres avaient érigée à la croisée des chemins. Aidée de Louise et de Phanie, Manda organisait chaque été un beau décor floral et installait des statuettes pour enjoliver le lieu.

Le curé, vêtu du surplis et de l'étole, était accompagné d'un enfant de choeur qui transportait un bénitier et deux chandeliers. Il bénissait la croix, d'un geste solennel, et tous célébraient fièrement en récitant des prières et en chantant des cantiques.

Chaque paroissien savait que lorsqu'il passait devant cette croix du chemin, il devait s'arrêter et faire le signe de la croix. Celui qui négligeait ce geste était mal vu. On disait qu'il n'était pas catholique. Jos faisait partie des marginaux de la paroisse de Saint-Césaire. Il se fichait bien des qu'en dira-t-on.

Devant cette même croix, on récitait le chapelet tous les soirs du mois de mai, le mois de Marie. Les gens du rang s'agenouillaient en demandant des faveurs spéciales. Manda, Phanie et les autres membres de la famille Poitras répétaient inlassablement leur secrète demande devant la croix du chemin. Pourquoi Dieu ne semblait-il pas pressé de les écouter ?

# Chapitre treize

L'Amour
est un grand maître.

MOLIÈRE

D E plus en plus, c'était difficile pour Phanie d'entreprendre ses journées. Le soir, elle se couchait très tôt, à côté de Zoé. Elle ne se sentait pas bien. Évidemment, elle ne voulait pas que Jos s'aperçoive de son état tout de suite. Lui annoncer qu'il aurait une autre bouche à nourrir, c'était risquer de le faire enrager, et elle n'y tenait pas.

Dédé, voyant l'état pitoyable de sa douce moitié, l'amena chez le médecin. Celui-ci confirma qu'elle était enceinte. La future maman avait l'impression d'être vidée de ses forces et de son énergie. Au cours des jours qui suivirent, elle devint de plus en plus nerveuse et inquiète.

La période d'austérité dans laquelle était plongée la famille, les conditions de vie difficiles, autant sur la ferme qu'à la maison, la responsabilité de cette enfant dont il fallait cacher l'infirmité afin d'éviter les commérages... c'en était trop. De surcroît, elle était fatiguée de se sentir épiée par le beau-père à longueur de journée. Elle étouffait dans ce cadre de vie. Phanie avait perdu son entrain et se sentait sombrer dans la dépression.

Un jour, elle s'évanouit en tentant de se rendre près du berceau. Manda l'aida à se relever, la prit dans ses bras et lui conseilla d'aller se coucher.

– Je crois que je vais perdre mon bébé, lui chuchotat-t-elle, pour échapper à la vigilance du beau-père.

Dédé partit en trombe chercher la sage-femme, mais ils arrivèrent trop tard. Phanie venait de faire une fausse couche.

Confinée à son lit pour deux semaines, au deuxième étage, elle réfléchissait et priait Dieu de lui envoyer les forces nécessaires à son état. Elle désirait de tout son cœur passer à travers cette épreuve pour continuer de protéger sa petite Zoé.

# Chapitre quatorze

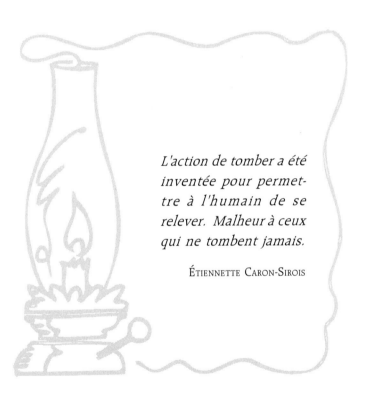

L'action de tomber a été
inventée pour permet-
tre à l'humain de se
relever. Malheur à ceux
qui ne tombent jamais.

ÉTIENNETTE CARON-SIROIS

ÉBECCA était en vacances pour les deux prochaines semaines de juillet. Jos lui proposa d'aller visiter son frère aux États. Elle voulait bien, mais à la condition d'amener Zoé avec eux.

Durant le déjeuner, alors que Manda et Dédé étaient à l'étable, Jos dit à Phanie de préparer la fillette.

– On va aller se promener.

– Où ça ? Elle n'est pas en état de se faire voir !

– Elle n'est pas à toi, cette enfant-là , c'est la fille de Rébecca. Dépêche-toi !

Sans répliquer, Phanie emmaillota la petite dans son lange, afin de camoufler ses bras, lui mit sa petite *capine* et la déposa sur le siège arrière de la voiture. Jos partit en douce rejoindre sa compagne de voyage. Celle-ci s'installa auprès de Zoé, lui fit une bise, et ce fut le départ.

En route, la petite pleurait fréquemment, ce qui irritait le vieil homme au dernier point.

– On aurait dû la laisser à la maison !

Constamment, il devait s'arrêter pour permettre à Rébecca de la faire boire et de la changer de couche.

Phanie était malheureuse et s'ennuyait de son petit ange aux yeux bleus.

— Ne t'en fais pas, la rassurait Manda, ils vont être de retour bientôt. J'en suis certaine, je connais mon Joseph.

Pendant que son mari se prélassait en compagnie de sa maîtresse, Manda réfléchissait. Le lendemain de son départ, elle décida d'aller faire un tour au village, chez sa soeur Reina.

— Prépare tes bagages, ma chère, on part pour Montréal. On va se promener chez Miella. Notre grande soeur sera très heureuse de nous voir arriver. Ça fait tellement longtemps qu'elle nous invite.

Manda retourna chez elle, prépara sa valise et demanda à Phanie de les conduire en *boghei* à la gare.

— Embrasse Dédé et les enfants, et donne-moi des nouvelles de Zoé lorsqu'ils seront revenus.

— Je n'y manquerai pas.

Miella avançait en âge, elle aurait bientôt soixante et onze ans. Elle souffrait de glaucome depuis plusieurs années. Elle vivait seule dans un appartement au coeur de la ville, après avoir partagé une partie de sa vie avec un alcoolique et un coureur de jupons.

— Quelle bonne idée tu as eue ! s'exclama Reina en cours de route.

Quant à Manda, ce petit voyage lui permettrait d'oublier ses malheurs l'espace de quelques jours.

– J'ai bien hâte de revoir Miella.

C'était toute une affaire pour Manda d'être confortablement installée dans le train qui les dirigeait vers Montréal, elle qui ne sortait jamais de sa campagne. Lorsqu'elles débarquèrent à la gare, Reina se chargea de faire venir un taxi.

Miella était très heureuse de les accueillir. Que de bavardages joyeux elles se permirent jusqu'aux petites heures ! La semaine s'écoula trop vite. Il fallait déjà penser au retour. Manda se demandait si tout allait bien à la maison.

⁂·∿·

Rébecca avait pris une chambre d'hôtel avec Zoé parce que Jos avait caché à son frère qu'elles étaient en sa compagnie.

Le samedi matin, à son réveil, elle avait le frisson et faisait beaucoup de température. De violents maux de tête la faisaient souffrir. Au cours de la fin de semaine, elle se mit à tousser et n'avait pas d'appétit. La petite Zoé pleurait, réclamait son boire, mais Rébecca ne pouvait en prendre soin. La situation devenait intolérable. Il fallait faire quelque chose.

Jos fit venir un médecin francophone à la chambre d'hôtel. En la voyant, celui-ci mit un masque.

– Madame, vous avez la tuberculose... Il faut que votre petite soit tenue à l'écart, car vous êtes contagieuse.

Le sexagénaire était dans de beaux draps. Il ne lui restait qu'une chose à faire : ramener Zoé au plus vite à la maison. À quel autre endroit pouvait-il la laisser s'il ne voulait pas ébruiter son histoire dans la famille Poitras ? En toutes circonstances, il avait toujours la même réaction, il sauvait d'abord sa peau. Le voyage de retour ne fut pas facile. Pauvre Zoé !

❧❧❧❧❧ ❧❧

Manda vit venir au loin une automobile.

– Jos arrive ! Jos arrive ! s'écria-t-elle, en sortant sur la galerie. Phanie s'empressa de descendre le grand escalier et vit Zoé dans les bras de « son père ».

– J'ai cru que tu ne reviendrais plus jamais, mon ange, lui dit-elle en pleurant de joie.

Au cours de la soirée, elle s'occupa d'elle avec une infinie tendresse. Elle la fit boire, lui donna un bon bain et la borda dans ses petits draps de laine.

– Où étais-tu avec la petite ? demanda Dédé, excédé, au paternel. Il était visiblement déçu de ne pas avoir été informé de ce projet de voyage.

– Aux États avec Rébecca, laissa-t-il tomber froidement. Elle est malade. Je l'ai laissée là-bas parce qu'elle a la tuberculose.

– Mon Dieu ! quel malheur, murmura Manda.

Elle s'empressa de laver tous les vêtements de Zoé, car elle savait que cette maladie était infectieuse. Elle lui fit aussi porter le *scapulaire*, espérant de tout son coeur qu'il éloignerait d'elle la terrible maladie.

# Chapitre quinze

Un beau soir, l'avenir
s'appelle le passé.
C'est alors qu'on se
tourne et qu'on voit sa
jeunesse.

**A**u village, les commérages allaient bon train.

– La danseuse, on la voit plus ? Ni la Hudson bleue ?

Sans nouvelles de Rébecca depuis son retour des États, Jos perdait le goût de vivre. Il ne mangeait presque plus et perdait du poids. Il prenait son verre de Miquelon trois fois par jour. Il pensait à sa maîtresse, mais n'entreprenait aucune démarche pour avoir de ses nouvelles.

Un jour qu'il s'était rendu à l'hôtel, il apprit du serveur que « sa danseuse » était hospitalisée au sanatorium de Mont-Joli et que son état semblait lamentable. Il aurait bien souhaité lui rendre visite, mais puisque cette maladie était infectieuse et contagieuse, il ne tenait pas à l'attraper. Il resta les pieds sur la *bavette* du poêle à ruminer son chagrin.

Rongé par l'inquiétude, il décida un bon matin de se rendre à Mont-Joli. Il chaussa ses bottines de feutre noires, endossa son *mackinaw* et dit à Dédé :

– Je vais à Mont-Joli, Rébecca a besoin d'argent. J'ai reçu une lettre dernièrement, et il faut que j'aille régler cette affaire-là.

Debout, devant la grande table de bois, Manda ne disait pas un mot. Elle réalisait cependant qu'elle avait dû accepter beaucoup de privations dans sa vie de ménage, sans recevoir de marques d'appréciation pour autant, mais que pour la danseuse, c'était différent, il n'y avait rien de trop beau. Quel désespoir pour elle et sa famille !

L'homme au visage de plus en plus ridé et émacié se regarda dans le rétroviseur, ajusta son chapeau noir et entra dans cet établissement qui lui faisait peur.

– Je veux voir Rébecca Bastian.

– Êtes-vous son père ?

– Non, mais il faut que je la voie.

La religieuse répliqua :

– Elle n'est pas en état de vous recevoir, Monsieur.

– C'est une visite d'affaires... personnelle.

– Bon, puisque vous insistez, mettez ce masque et ces gants, puis suivez-moi. C'est au bout du corridor.

Il longea le long couloir dans la demi-obscurité et aperçut les uns après les autres ces individus alités dont les visages étaient cachés par une couverture de laine. Le spectacle était macabre.

Plus il avançait, plus il pouvait imaginer la souffrance de Rébecca. Dans l'ombre, la religieuse lui désigna la jeune femme.

– Ce n'est pas elle, c'est impossible !

– N'approchez pas trop du lit.

– Rébecca, me reconnais-tu ? C'est moi, Jos.

La religieuse se tenait debout, au pied du lit. Il lui demanda de les laisser seuls quelques instants.

– Pourquoi m'as-tu fait demander, Rébecca ?

– Je veux faire mon testament, car je n'en ai pas pour très longtemps. Ici, c'est terminé pour moi. J'exige que tu me remettes deux mille dollars pour que je puisse régler mes affaires avant de mourir.

Sans attendre sa réaction, elle demanda qu'on rappelle la religieuse. D'un air entendu, celle-ci se dirigea à droite de son lit et sortit un papier du tiroir. Crayon en main, elle attendait les consignes de la malade. L'homme était stupéfié. Le ciel venait de lui tomber sur la tête.

– Moi, Rébecca Bastian, je veux que Joseph Poitras, père de mon enfant Zoé, remette la somme de deux mille dollars aux religieuses du sanatorium de Mont-Joli pour payer les frais encourus lors de ma maladie et pour défrayer le coût de ma sépulture. Que la balance de ce montant soit versée à Zoé, l'héritière.

La religieuse remit le papier à Jos et lui demanda de le signer dûment. Il s'exécuta sans rechigner, puis il repartit pour Saint-Césaire. Il pleura, en pensant à Rébecca dans sa maladie, et aussi à sa femme Manda qui économisait de peine et de misère depuis des années. Elle avait accumulé cet argent dans le labeur et la privation. C'était injuste pour elle.

Depuis cet événement, Jos, ancré dans sa peine et son inquiétude, rendait la vie insupportable à la maison. Odilon et Louise étaient partis pour la ville, n'en pouvant plus d'endurer leur père. Ils venaient visiter leur mère de temps en temps et lui écrivaient des lettres.

Pauvre Manda, une femme si bonne, si compréhensive et d'une telle vaillance. Elle avait passé les plus belles années de sa vie à travailler à la maison et sur la ferme sans compter ses heures. Ces dernières années, elle entretenait le presbytère et l'église dans une propreté exemplaire et faisait de la couture pour les autres afin de se faire quelques économies. Jos n'avait vraiment aucune reconnaissance pour elle.

Ils s'étaient rencontrés en « marchant au catéchisme » tous les deux. Manda avait quatorze ans. Son père travaillait dans les chantiers et récoltait un maigre cent vingt-cinq dollars par hiver. Régulièrement malade, il lui avait dit le jour de ses dix-sept ans :

– Ma fille, tu veux marier le jeune Poitras ? Tu fais un bon choix. Il a des sous, et tu seras bien en sécurité avec lui.

Ils s'étaient mariés en août 1894, mais ce n'était pas le grand amour entre eux.

Par un bel après-midi d'octobre, Jos revint du village, la mine basse, et annonça que Rébecca était décédée. Manda dut se rendre à l'évidence : la mère de Zoé n'était plus de ce monde.

Les Bastian se présentèrent à la gare pour récupérer le corps de leur fille. Une chambre avait été préparée pour la circonstance. On avait recouvert les murs et une table d'un grand drap blanc. La défunte était vêtue d'une robe noire et enveloppée d'une couverture.

Jos s'habilla de noir, comme s'il avait perdu sa femme, et se rendit « au corps ».

– Personne n'entre dans la chambre, car il y a des risques de contagion, lui annonça quelqu'un. Il regarda Rébecca, s'agenouilla et récita quelques prières. Plusieurs chuchotaient : « C'est Jos, c'est Jos. »

Il se releva et alla s'asseoir dans le corridor quelques instants. Il se faisait tard, tout le monde s'en retournait, mais, lui, il décida de rester pour veiller le corps. Lorsqu'il fut seul, il s'approcha d'elle, leva la couverture et vit son visage abîmé et tout bleu. Il replaça la couverture, retourna s'asseoir et s'endormit sur sa chaise.

Le lendemain, les parents de Rébecca lui demandèrent s'il avait beaucoup de chagrin.

– J'ai rien à dire ! répondit-il sèchement et il s'empressa de sortir.

La sépulture eut lieu le lendemain. La matinée était fraîche et ensoleillée. Les feuilles, un peu rougies, tournoyaient sous l'effet d'un vent léger. On aurait dit qu'elles exécutaient une dernière danse pour celle qui tirait sa révérence.

La présence du sexagénaire parmi la parenté de la défunte provoqua des commentaires dans l'assistance, à l'église, et les *placotages* reprirent de plus belle dans la paroisse. On enterra le corps dans le cimetière de Saint-Césaire.

Zoé était beaucoup trop jeune pour comprendre ce qui se passait, et le secret qui avait entouré sa naissance était gardé scrupuleusement.

À mesure que les jours passaient, Jos s'enfonçait dans la mélancolie. Lui qui était *chialeux* de nature critiquait davantage. Il n'avait pas de patience, et la fillette faisait tout pour le rendre encore plus nerveux. Elle se traînait sur le plancher et elle fouillait partout. Agitée, elle piquait des colères, et Jos s'impatientait chaque fois. Un jour – Phanie ne sut jamais s'il avait regretté ses paroles –, il lâcha crûment :

– Ferme-toi, je ne veux plus t'entendre, p'tite bâtarde !

Guidée par son instinct maternel, la jeune mère la prit dans ses bras, la serra fort contre son coeur :

– C'est pas vrai, tu n'es pas une p'tite bâtarde. On t'aime. Et elle lui donna de gros baisers. Rassurée, l'enfant s'endormit dans les bras de sa mère adoptive.

# Chapitre seize

*Le printemps
et ses promesses.*

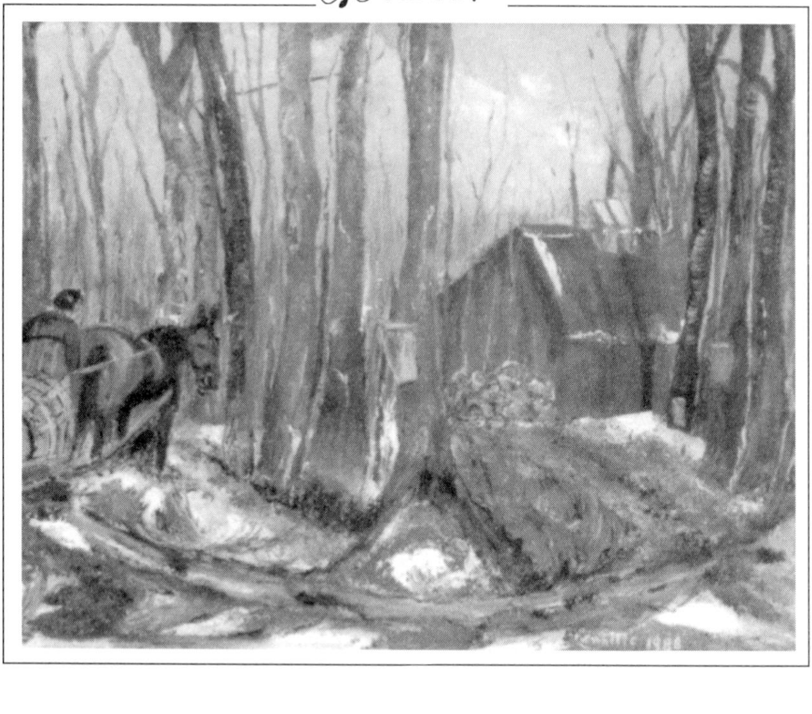

os retrouva la parole après les longs moments de solitude de l'hiver. Regardant par la fenêtre, il déclara tout de go, un matin :

– Les *siffleux* et les ours sont sortis de leurs tanières.

– Ça va être le temps, bientôt, de *s'appareiller* pour entailler les érables, reprit Dédé.

Ils chaussèrent leurs raquettes et partirent explorer l'érablière. Zoé et Phanie les accompagnaient. Lorsqu'ils arrivèrent à la petite cabane de bois rond, Jos alluma un feu dans la *truie*. Cette randonnée le motivait et le divertissait. Il fallait tout mettre en œuvre : sortir les *goudrelles*, les chaudières, la hache, le vilebrequin et les *gouges*.

Dédé prenait soin de fouler la neige autour de chaque érable pour déposer le récipient qui servirait à recueillir l'eau. Il faisait une entaille à la hache, en faisant partir un éclat en biseau, et perçait un trou avec le vilebrequin pour ensuite insérer la gouge et la goudrelle.

Zoé, assise à l'entrée de la cabane, regardait Phanie qui faisait la tournée des érables les plus proches pour recueillir l'eau sucrée. Il faisait beau, et celle-ci trouvait la tâche agréable même si c'était un travail exigeant.

Dédé récoltait l'eau des érables plus éloignés. Il transvidait le précieux contenu des chaudières dans le tonneau installé sur la *sleigh* tirée par la jument Badeau.

Quand une grosse gelée blanche recouvrait les choses le matin et que le reste de la journée était ensoleillé, les deux hommes étaient satisfaits. C'était le signe que les érables couleraient abondamment. Phanie adorait aussi cette période de l'année.

Jos entretenait le poêle ; il attisait le feu avec des croûtes de cèdre et du bois d'érable. Il remplissait ensuite les bouilloires de façon à faire évaporer le surplus d'eau contenu dans la sève. Il réduisait ainsi la quantité de liquide que Dédé avait recueillie dans l'avant-midi. Ordinairement, l'eau du bassin central servait à remplir les autres récipients. Par conséquent, l'ébullition de l'eau dans ces derniers n'arrêtait pas. Lorsque les bouillons commençaient à prendre une teinte dorée, Jos prenait soin de mettre une couenne de lard sur le rebord intérieur de la casserole à sirop pour éviter que le liquide gonfle trop rapidement et déborde. Dès que celui-ci atteignait le morceau de lard, il retombait au niveau normal.

Zoé était émerveillée de voir le feu crépiter. L'étonnement se lisait dans ses yeux. Jos était amusé de sa réaction ; lui qui n'avait jamais démontré de tendresse aux siens riait avec « sa » fille.

On rapporta à la maison cette année-là une provision de sirop qu'on vendit au village à raison de cinquante sous le gallon.

L'odeur des mets typiques du temps des sucres se faisait sentir dans la cuisine de Manda. Les crêpes, les oeufs dans le sirop, le *chiard* aux grillades, les *oreilles-de-Christ*, quel festin printanier !

Aller « à la cabane », c'était revigorant. Ce n'était pas de tout repos, mais les gouttes d'eau qui chantaient dans les chaudières et le vent qui sifflait entre les érables faisaient partie de la magie du printemps. Le soleil de plus en plus chaud et le grand air redonnaient également de l'énergie.

La période des sucres s'étira jusqu'à la première semaine d'avril. Ce passe-temps plut à Jos, car il avait trouvé l'hiver bien long. Le départ de Rébecca avait laissé un trou immense dans sa vie. Prendre l'air, avec les journées qui rallongeaient et le chant des oiseaux, l'aidait à oublier le passé.

Pour Pâques, Phanie et Manda fabriquèrent des coeurs et des cônes de sucre. Selon le cas, elles déposaient le sucre encore mou dans de petits moules d'aluminium ou dans des cornets qu'elles confectionnaient elles-mêmes avec de l'écorce de bouleau. Elles vidèrent aussi des oeufs avec précaution pour les remplir de sucre chaud. Le temps des sucres fut, cette année-là, une période particulièrement active pour toute la famille, et Manda se mit à espérer que la vie reprenne comme avant.

# Chapitre dix-sept

L'acceptation
est la voie
du changement.

KHALIL GIBRAN

Manda se doutait qu'il y avait des choses qui ne tournaient pas rond. Jos recevait des lettres, mais il les cachait. Un jour, elle décida de les retracer et se mit à fouiller partout dans la maison. Malheureusement, elle ne trouva aucun indice qui aurait pu la mettre sur une piste. Il doit bien les déposer quelque part, se disait-elle. Puis, la lumière se fit. La corde de bois... pourquoi nous a-t-il défendu d'y toucher ?

Jos étant parti dans la forêt avec son fils, elle en profita pour descendre à la cave et examiner de plus près le bois de chauffage. Pendant quelques secondes, elle se demanda si elle ne s'était pas fait des idées. Tout à coup, ses yeux tombèrent sur une bûche évidée au centre de la corde. Elle passa sa main dans la cavité et trouva les enveloppes qu'elle cherchait. Elle n'en croyait pas ses yeux ! Don à Rébecca pour la crèche : mille dollars ; don pour Zoé : mille cinq cents dollars ; testament : mille dollars pour frais de sanatorium et de sépulture, etc. Manda n'en revenait pas ! Et les papiers signés, authentifiés par les religieuses du sanatorium de Mont-Joli. Quel choc !

C'était injuste pour la famille, cette affaire de testament. Jos avait tout donné à Rébecca et laissé un héritage à la petite Zoé. Il ne léguait absolument rien à ses trois autres enfants. Pourquoi avait-il agi de la sorte ?

Manda remit soigneusement la bûche à sa place, de façon à n'éveiller aucun soupçon. Elle connaissait enfin le secret de Jos. Désemparée, elle monta à la cuisine.

– Vous avez l'air d'avoir de la peine, maman Manda, dit Phanie.

– Plus que ça, je vais aller au village m'assurer de quelque chose de grave.

– Voyons, c'est si pire que ça ?

– Oui, c'est grave !

Elle attela la jument grise et se rendit à la banque afin de vérifier le compte de Jos.

– Je n'ai pas le droit de vous dévoiler le montant de ses économies, Madame Poitras, lui dit poliment le caissier.

– Il faut absolument que je sache combien il reste d'argent dans le compte de mon mari. J'ai une transaction à effectuer de toute urgence. Je suis sa conjointe après tout ; je veux savoir !

– Bon, je vais vous donner des informations, mais pas un mot à monsieur Poitras. Vous avez compris, hein ?

– C'est promis, Monsieur Norma. Elle prit le livret de banque, l'ouvrit nerveusement et constata avec stupéfaction qu'ils étaient sur le point de manquer de liquidités. La tête basse, elle sortit de la banque et s'en retourna à la maison. Phanie avait hâte de savoir ce qui se passait.

– Je suis terriblement fatiguée. Un peu de repos me fera du bien, et ensuite, je te raconterai tout.

– Allez vous allonger, répondit Phanie qui était occupée à faire boire Zoé.

Au bout de quelques moments, la jeune femme constata que sa belle-mère, couchée dans la grande chambre près de la salle à manger, était secouée de sanglots.

– Qu'avez-vous, maman Manda ? Dites-moi ce qui se passe !

– J'ai découvert le secret de Jos. Il nous a ruinés ! Il a donné tout son argent à Rébecca et à Zoé. J'arrive de la banque, Phanie, il ne nous reste que quelques pauvres dollars d'économie. On vieillit tous les deux. Qu'est-ce qu'on va faire pour se faire enterrer ?

– À Zoé ?

– Oui.

– Voyons donc ! Ça s'peut pas !

– Oui, quand Rébecca a été hospitalisée, des papiers ont été faits et signés. Je les ai trouvés.

– Où ?

– Dans la cave, ils sont cachés dans une bûche de bois.

– Mon Dieu !

– C'est un secret entre nous, Phanie. Ni toi ni moi ne devons laisser entendre que nous sommes au courant de ce que je te raconte. Ce sera notre secret, Phanie. Tu comprends ?

– Je n'ai jamais eu confiance en lui ! reprit la jeune femme. Je le savais que cet homme était un hypocrite ! Vous pouvez compter sur moi, belle-maman.

Manda se demandait comment faire parler son homme sans qu'il découvre qu'elle avait percé son jeu. Elle qui avait tant travaillé et qui s'était privée pour économiser afin d'éviter des soucis aux enfants quand l'heure viendrait pour eux de quitter la terre. Voilà que d'un seul coup, toutes ses économies étaient balayées. Il ne restait que des miettes. Ses épargnes avaient été anéanties par l'égoïsme d'un homme qu'elle avait marié un jour afin de connaître la sécurité.

# Chapitre dix-huit

La vie est
du côté de la lumière.

PAUL-EUGÈNE CHABOT

*J*os entra, se dirigea vers la pompe pour se laver les mains. Zoé accourut vers lui aussitôt et lui tendit les bras. Manda les regardait à la dérobée. Elle le vit prendre la petite dans ses bras et se diriger vers la *berceuse.* Calmement, elle entreprit de l'amener sur son terrain. On aurait dit que la divine Providence lui venait en aide.

— Dis donc, lança-t-elle d'un air détaché, savais-tu que le père Alphonse Buteau était décédé ? Le pauvre, il n'avait que soixante-huit ans.

Sans attendre sa réaction, elle enfila sur le sujet qui la torturait depuis quelque temps :

— As-tu pensé à faire ton testament ? Ça fait réfléchir, des événements comme ça. Il ne faudrait pas laisser nos enfants dans la misère, hein. Il faudrait qu'ils soient capables de nous enterrer au moins.

Jos déposa la petite dans sa *marchette* et revint s'asseoir dans sa berceuse, sans rien ajouter.

— Combien avons-nous dans notre compte à la banque, Jos ?

— ...

Phanie gardait silence aussi. Elle était occupée à faire de la couture et elle faisait semblant de ne rien entendre.

— Il y a une vache qui me paraît malade, j'aimerais que tu viennes la voir, dit Dédé en rentrant de sa besogne.

— J'y vais tout de suite, répondit l'homme soulagé en mettant son manteau.

Tout en examinant Caillette, Jos sentit le besoin de faire une confidence à son fils :

— Je veux te parler, Dédé. Ta mère vient de me demander si j'avais pensé à faire mon testament et à régler nos *servitudes*. Mais c'est que je n'ai presque plus d'argent à la banque parce que j'ai dû payer beaucoup de choses pour Rébecca : la crèche, le sanatorium, le médecin, les médicaments... En plus, j'ai été obligé de défrayer sa sépulture, c'était une entente prise avec elle avant sa mort.

— C'est pas vrai ? cria Dédé pour montrer sa frustration.

— J'aimerais que tu le dises à Manda. C'est triste, mais c'est comme ça.

— Et le reste ? demanda Dédé.

— C'est Zoé qui en héritera, à l'âge de dix-huit ans.

Jos s'en retourna à la maison et monta se coucher. Dédé alla raconter à sa mère ce qu'il venait d'entendre.

— Quelle catastrophe ! dit-elle. Et nous autres, comment allons-nous nous organiser pour nous faire enterrer ?

Manda réfléchissait profondément à cette situation embarrassante dont Jos était l'unique responsable. Elle mesurait jusqu'où ses fantasmes l'avait mené et quelles étaient les répercussions sur sa vie à elle. Toute une vie à calculer, à se priver, à trimer dur, puis se réveiller un beau matin sans le sou. Et Zoé, comment allait-elle se comporter avec cet héritage ? La donation de la terre paternelle n'était pas encore faite. Comment cela se ferait-il ?

– C'est la semaine prochaine qu'on va aller chez le notaire pour passer des papiers, l'informa Dédé.

– Pas besoin d'aller chez le notaire ! cria Jos de sa chambre.

Il vint les rejoindre dans la salle à dîner. Tous étaient présents au « caucus ».

– Je fais mes donations tout de suite. Ça veut dire que je donne ma terre, ma maison, mes bâtiments de ferme, mon érablière ainsi que mon lot à bois à André. À la condition qu'il nous nourrisse et nous entretienne, Manda et moi, jusqu'à notre mort et qu'il paye notre sépulture. Il ne fit aucune allusion à Odilon et à Louise.

Dans les moments solennels, Jos prenait la peine d'appeler son fils par son vrai prénom. Celui-ci ressentait la gravité de l'événement qu'il était en train de vivre.

– Mais, comment vais-je m'y prendre pour payer vos sépultures ? demanda-t-il, sachant très bien qu'il ne restait que très peu d'argent dans le compte de son père.

– C'est à prendre ou à laisser ! dit fermement le vieil homme irrité par sa réaction.

C'était une lourde charge pour le jeune couple. Mais ils étaient heureux ensemble et s'aimaient beaucoup. Avec la petite Zoé et le futur bébé, la famille s'agrandissait dans l'amour.

Hériter du bien paternel dans ces conditions, ce n'était pas une si bonne affaire. Jos ne leur faisait pas de cadeau, ils en étaient bien conscients. Ils devraient continuer à travailler aussi fort qu'avant, et de nouvelles responsabilités s'ajoutaient sur leurs jeunes épaules. Ils devraient s'y faire.

# Chapitre dix-neuf

Chaque génération y
met son grain de sel,
pour qu'ainsi la vie se
renouvelle.

HERMEL PELLETIER

U n bon matin, Phanie décida d'aller rendre visite à ses parents qu'elle n'avait pas revus depuis son mariage. Dédé attela Piton, et elle partit, très heureuse, en cette matinée ensoleillée qui lui offrait la beauté verdoyante des prés. Le mois d'avril s'annonçait merveilleusement bien. Les pissenlits dessinaient des taches jaunes, ici et là, dans l'immensité de la plaine. La jeune femme s'en allait fièrement et le coeur léger.

Cette visite la libérait quelque peu de Zoé, qui aurait bientôt un an. Elle était intelligente, mais très agitée. Elle avait hâte de voir sa mère et son père, de partager avec eux des secrets logés au fond de son coeur depuis trop longtemps.

– Bonjour, ma fille, quelle surprise tu nous fais ! Tu es seule ?

– Oui, je veux voir maman.

– Entre donc, elle est en train de laver le plancher de la cuisine.

À la voix de sa fille, madame Dufour déposa sa brosse à plancher et courut vers elle. Elles se serrèrent et s'embrassèrent tendrement toutes les deux. Des larmes de joie mouillaient leurs joues.

– Viens t'asseoir. Prends la grande chaise réservée à la visite. Et puis, es-tu heureuse ?

— Je suis heureuse avec Dédé, mais je déteste le beau-père. C'est un homme vilain. Il me déteste aussi. Il me traite de paresseuse, de vaurienne, de *feluette* et critique sans arrêt. Il ne démontre aucune sensibilité. Il est dur avec sa femme et Dédé. Mais je suis en amour avec mon Dédé, c'est ce qui compte.

— Ma pauvre fille, répondit madame Dufour.

— Maman, je suis enceinte de deux mois.

— Que je suis heureuse d'apprendre cette bonne nouvelle !

— J'ai aussi quelque chose de très important à vous raconter aujourd'hui. Êtes-vous seuls ?

— Oui, bien sûr, les enfants sont partis à l'école.

— J'aime mon mari et j'adore maman Manda, elle est comme vous. Je m'entends à merveille avec elle. Il n'y a que mon beau-père qui brime tout.

Ce n'était pas facile à expliquer. Phanie se redressa, prit une grande respiration et leur fit promettre de ne rien dire à personne.

— Tu n'as rien à craindre, ma fille.

— Bon, monsieur Poitras a connu une danseuse à l'hôtel de Saint-Césaire il y a quelques années et... il a eu une fille avec elle. Et... et... elle est infirme. Elle n'a pas de mains... Elle s'appelle Zoé, c'est une enfant adorable.

Phanie se sentait soulagée. Elle avait réussi à dire ce qu'elle avait sur le coeur.

— Voyons donc, ça s'peut pas ! objecta Diana, scandalisée.

— C'est pourtant la vérité. Je vous le dis. C'était la raison de notre mariage, aussi rapide ; mon beau-père avait fait accroire aux paroissiens que je m'étais mariée enceinte. Zoé a déjà onze mois. Évidemment, je l'aime comme ma propre fille et je l'élève de mon mieux. Elle a de beaux yeux bleus. Elle est très attachante. Puis, c'est pas tout, monsieur Poitras lui a légué son testament. Sa mère l'avait exigé avant sa mort, lorsqu'elle était au sanatorium de Mont-Joli.

— Elle est décédée ! s'indigna Diana Dufour.

Que de bouleversements en quelques minutes ! Ouf ! les parents de Phanie n'en revenaient pas. Et l'heure avançait, il était déjà midi.

— Il faut que je parte.

— Déjà ? Tu ne veux pas rester à dîner ?

— Non, je me reprendrai une autre fois. Zoé m'attend.

Bien qu'ébranlé par les révélations de sa fille, Conrad Dufour n'en laissa rien voir. Il lui dit posément :

— Nous sommes contents de ta visite. Tu es courageuse, Phanie. Demande au bon Dieu de t'aider et reviens-nous voir plus souvent.

La généreuse mère reprit le chemin du retour. Elle mit son grand châle de laine du pays autour de ses épaules, puis s'éloigna sur la route sinueuse.

– J'avais hâte que tu reviennes, lui dit Dédé en lui donnant un doux baiser. J'ai une surprise pour toi, ma chérie, je t'ai composé un poème pour souligner le premier anniversaire de notre mariage.

*En passant devant la maison,*

*Voyant les lilas fleuris,*

*Avec toi, j'ai voulu faire*

*Un monde nouveau.*

*Ah ! ma chérie,*

*Ton amour fait tout mon espoir !*

*Toute une vie,*

*À se donner, on risque de s'oublier,*

*Phanie,*

*Mon amie,*

*Mon amour.*

*Tu portes encore ce médaillon*

*Que je t'ai offert.*

*Le temps renforce l'Amour*

*En ce beau jour.*

*Chaque fois, mon coeur palpite,*

*Phanie, lorsque tu me dis :*

*« Je t'aime. »*

*Je suis heureux de sentir ta présence*

*Dans mon coeur, et ton sourire m'envahit.*

*Tes beaux cheveux blonds,*

*Ta féminité, ta générosité*

*Font de moi un homme heureux.*

*Ton amour fait tout mon espoir,*

*Phanie,*

*Mon amie,*

*Mon amour !*

*Je te souhaite un heureux anniversaire de mariage, et que l'amour grandisse en nos coeurs de jour en jour.*

*De ton amour, Dédé.*

Profondément émue, Phanie sauta au cou de Dédé et lui dit : « Je t'aime, je t'aime ! » Bon anniversaire, mon amour ! Merci de toutes ces marques de tendresse à mon égard. Allons annoncer à tes parents que je suis enceinte.

# Chapitre vingt

La source à laquelle
je m'abreuve provient
du doux nectar de
l'harmonie.

À l'école du rang, il se donnait des cours d'économie domestique. Puisque Phanie n'en pouvait plus d'endurer le mauvais caractère et les blâmes de son beau-père, elle décida de s'y inscrire. Elle voulait s'évader quelque peu de la maison paternelle. Elle le méritait d'autant plus que Zoé exigeait des soins particuliers. Dédé approuvait son projet et l'encourageait à y donner suite.

– Vas-y, ma chérie, un changement d'air te fera du bien. Tu pourras apprendre des choses intéressantes et te sentir plus valorisée dans ton travail.

– Merci, mon amour, de ta générosité. Je t'aime.

Phanie rêvait depuis longtemps d'apprendre à broder et à coudre. Il y avait tant de belles choses à réaliser lorsqu'on possédait un peu de savoir-faire dans ces domaines. Elle n'avait pas eu la chance de développer ces talents, elle s'était mariée si jeune, mais elle avait soif d'apprendre.

La vie quotidienne exigeait beaucoup d'imagination et de dextérité manuelle. Il fallait tout faire par ses propres moyens. Avec ces cours, elle apprendrait à se débrouiller sur bien des plans.

Sa belle-mère lui avait appris à conserver le moindre morceau de tissu, le plus banal objet  et à fabriquer mille et une choses avec rien. Dans sa famille comme dans toutes celles de la paroisse, on se débrouillait avec ce qu'on avait.

Le crin de cheval était utilisé pour faire les brosses servant au nettoyage. Les oiseaux de la basse-cour offraient leur plumage pour fabriquer des plumeaux. On s'en servait pour nettoyer et pour épousseter. Le carbonate de soude, vulgairement appelé le soda, servait à produire le savon dur.

On mettait les petits fruits en conserve et on fabriquait même son vin maison. Sans oublier les produits de l'érable qui complétaient très bien les repas.

À ses cours, Phanie apprenait comment aménager et décorer l'intérieur d'une maison pour la rendre plus agréable. Elle avait beaucoup d'intérêt pour l'agencement des tentures et des meubles. Elle comprit aussi l'importance de la propreté et d'une bonne aération.

Apprendre à coudre et à identifier le lin, la soie, le taffetas, la rayonne, le coton, la toile, la laine, quelle satisfaction pour elle ! Notre habile couturière apprenait aussi à manier le fuseau pour tisser, à utiliser l'aiguille de diverses façons afin de donner libre cours à ses capacités de créer. Elle avait même découpé un article qu'elle avait trouvé dans une revue parce qu'elle le trouvait de son goût et voulait le faire lire à Dédé. Le texte disait :

*Le chez-nous, c'est le toit qui nous sépare du monde extérieur. Le chez-nous, c'est la cuisine ensoleillée où sont posés les premiers gestes de la ménagère pour nourrir sa famille.*

*Le chez-nous, c'est le coin intime où la famille se retrouve après une journée de labeur, c'est surtout le royaume de la mère qui se dépense corps et âme pour créer une atmosphère de paix.*

Phanie avait retrouvé une sorte de joie de vivre depuis qu'elle avait repris le chemin de l'école. Jeune, intelligente et désireuse d'apprendre, elle voulait tout connaître. Durant l'après-midi, lorsque Zoé sommeillait, elle en profitait pour planifier certains changements dans le décor de la maison. Elle décida de coudre de beaux rideaux pour habiller les fenêtres ; elle avait acheté du tissu à son goût au magasin général de Saint-Césaire. Seule ombre au tableau, son beau-père n'était pas d'accord avec tout ce chambardement.

– Tant que je vivrai dans cette maison, il n'y aura pas de changement, osa-t-il lui dire le jour où il constata qu'elle avait commencé à coudre dans un beau tissu à fleurs.

– Je n'ai pas suivi mes cours pour rien. Je les fais, un point, c'est tout.

Lorsque Phanie eut terminé les deux paires de rideaux de la cuisine, les deux femmes entreprirent le grand ménage pour améliorer l'ambiance de la maison. Avec entrain, elles se mirent à laver les plafonds et les murs, à réparer les barreaux de chaises et à vernir le mur de la salle à manger. Pour protéger les planchers qu'elles avaient brossés à genoux, Manda sortit du grenier quelques *laizes* et un grand tapis tressé, tout neuf, aux couleurs vives, qu'elle déposa à l'entrée de la porte principale. Une agréable odeur de savon du pays flottait dans l'air, et les rideaux que Phanie avait installés dans la cuisine étaient du plus bel effet.

Le vieux grognon rouspétait toujours. Il n'aimait pas les changements, cela dérangeait ses habitudes.

– Depuis que tu es dans cette maison, tout est chambardé.

– Si vous n'aimez pas rester ici, allez-vous-en !

– Pas si vite, ma bru... Sur le testament, c'est écrit qu'il faut que vous preniez soin de nous, jusqu'à la fin de nos jours.

Phanie s'imposait de plus en plus. Elle avait découvert que c'était la seule façon de remettre le vieux détestable à sa place. Lorsqu'elle osait lui parler sur le même ton, elle le sentait plus vulnérable.

– Ah ! la maudite bru, grognait-il, en respirant l'odeur forte du vernis.

Chacun était occupé par sa besogne et ignorait les propos du sexagénaire. Non seulement, on ne lui obéissait plus, mais on ne l'écoutait même plus.

Quel changement dans la maison ancestrale ! Tous étaient très heureux de cette initiative.

Passe le temps... et Phanie attendait son bébé dans la quiétude. Elle le sentait déjà bouger dans son ventre qui s'arrondissait de jour en jour. C'est un garçon se disait-elle. Puisqu'elle manquait d'appétit, maman Manda lui donnait des petites pilules rouges ainsi que du *Wampole*.

# Chapitre vingt et un

Ceux qui oublient le
passé sont condamnés
à le répéter.

GEORGES SANTAYNA

*P*HANIE avait entendu dire qu'il existait des prothèses pour aider les personnes infirmes comme Zoé. Elle se demandait si l'oncle Sam ne pourrait pas la renseigner un peu mieux.

– Si elle avait des petites articulations de fer, elle pourrait s'en servir comme de vraies mains, ça faciliterait bien des choses. Elle a déjà deux ans, notre petite. Qu'en pensez-vous, maman Manda ?

– Je te comprends de t'inquiéter pour elle. C'est sûr qu'avec un appareil qui pourrait remplacer ses mains, notre Zoé deviendrait beaucoup plus autonome. Elle est tellement débrouillarde. Elle apprendrait vite, à mon idée. Je vais écrire à Sam. Je suis sûre qu'il pourra nous aider.

Quinze jours passèrent. Toujours pas de lettre des États. C'était déjà l'automne, et les travaux ne manquaient pas. Mais comme la température était superbe, la future maman en profitait pour se bercer un peu sur la galerie avant de reprendre l'ouvrage après le souper. Un soir, ses oreilles furent alertées par le bruit d'une automobile. Son coeur bondit de joie :

– Maman Manda, c'est l'oncle Sam qui arrive !

Phanie accourut vers le visiteur, le serra fort dans ses bras et lui enleva sa valise pour la porter dans la chambre réservée à la visite.

– Vous allez rester au moins une semaine, dit-elle, sur un ton invitant.

– Où est Jos ? demanda-t-il aussitôt.

– Il est couché. Sa santé n'est pas très bonne depuis quelque temps.

En voyant la petite Zoé, ses yeux s'embuèrent de larmes.

– Pauvre petite ! je ne la pensais pas aussi infirme que ça.

– Prendriez-vous un petit verre de vin de blé, mon oncle ? s'enquit Phanie pour cacher le trouble qui l'étreignait elle aussi.

– Ça ne se refuse pas, ma belle fille.

Pendant que tous échangeaient avec le visiteur, Jos descendait l'escalier d'un pas lent.

– Qu'est-ce qui t'amène, mon petit frère ?

– Je suis en promenade pour une semaine, j'ai des affaires importantes à régler. Puis, je veux me rendre voir Charles à Sainte-Luce. Je t'invite à venir avec moi, on va lui faire une surprise.

Et la conversation s'engagea autour de l'histoire de Zoé, à la grande surprise de Jos.

– Elle est bien comme ça ! Je ne veux pas la voir *atriquée* avec des doigts de fer.

– C'est moi qui en prends la charge. Je l'amènerai aux États, et on lui installera une prothèse adaptée à son infirmité.

Le bonheur de Phanie était à son comble, et ces paroles réconfortantes étaient un baume sur sa blessure. Enfin la vie semblait plus juste pour Zoé.

– Que je suis heureuse ! déclara-t-elle, en s'adressant à celui que la Providence avait mis sur son chemin. Enfin, Zoé pourra prendre des choses toute seule. Elle a droit elle aussi à un peu de bonheur.

Sam alla chercher Zoé dans sa chaise haute et la berça affectueusement. Il lui avait apporté des bonbons et des jouets.

– Comment peux-tu penser, Jos, que cette petite fille va être heureuse dans la dépendance constante ? As-tu imaginé sa vie plus tard ? lui dit, sur un ton ferme, son frère cadet. C'est Manda qui viendra aux États avec Zoé.

Pendant que Sam parlait, Jos boudait et se lamentait.

– Bouge, va dehors, remue-toi ! Bon sang ! que tu es difficile à comprendre, lui dit sa femme.

⁓⁓⁓

Lorsque Manda, Zoé et Sam partirent pour le grand voyage, Jos ne se leva même pas pour les saluer.

Manda, qui n'avait jamais vraiment voyagé, trouvait le chemin sans fin. Ils arrivèrent à Seattle pendant la nuit.

Le lendemain matin, vers onze heures, Sam stationnait sa voiture devant un petit hôpital pour enfants handicapés. Le docteur Carignan était son bon ami et avait été mis au fait de cette pénible histoire.

– Quelle tristesse ! dit-il, en voyant la fillette.

Il la fit asseoir sur une chaise et lui dit calmement :

– On va te fabriquer des petites mains, mon ange.

Il examina soigneusement ses reins, son coeur, ses yeux et sa gorge.

– À part son infirmité, elle est en parfaite santé, dit-il, à l'intention de Manda. Maintenant je vais examiner ses os, je dois m'assurer qu'ils sont assez solides pour supporter les prothèses. Quelques pleurs firent écho aux interventions de l'éminent pédiatre.

– Aujourd'hui, Zoé recevra un appareil temporaire. Nous nous reverrons sous peu.

Pendant que le spécialiste expliquait le fonctionnement de l'appareil orthopédique à Manda, Sam déclara :

– Je veux ce qu'il y a de mieux pour cette petite.

◦◦◦◦◦◦

– Pourquoi, Sam, cette grande générosité envers Zoé ? demanda Manda, un peu soucieuse, sur le chemin du retour.

– Moi, j'en ai les moyens. Et ça me fait grandement plaisir de vous aider.

– Zoé saura te remercier, un jour.

Rassurée, Manda s'endormit aussitôt avec l'enfant dans les bras. Sam filait vers Saint-Césaire. Il faisait nuit.

Lorsqu'ils arrivèrent à la maison, le vieux grincheux était encore couché. Phanie prit Zoé des bras de sa belle-mère et s'exclama :

– Mon Dieu, que j'ai trouvé le temps long !

– Prendrais-tu un peu de Miquelon ? lança Manda joyeusement à Sam.

– C'est pas de refus.

Elle avait hâte de tout raconter à sa bru et de déballer les prothèses.

– Mais comment va-t-elle se servir de cette invention-là ? dit Phanie, inquiète.

– Pour commencer, elle va avoir de la difficulté, c'est sûr, mais elle va s'habituer. Sois confiante, Zoé a tellement d'initiative.

# Chapitre vingt-deux

Tant qu'il y a de la vie,
il y a de l'espoir.

e lendemain, Jos se leva le premier et Sam le suivit.

– Es-tu malade ?

– Je crois que c'est mon fameux cancer.

– Va voir le médecin, ne reste pas comme ça ! Tu ne manges plus, tu n'as plus de force.

– Je n'ai plus envie de me battre. Je ne suis plus chez moi ici ; j'ai tout donné à Dédé parce que... Je vais te dire quelque chose, Sam, quelque chose qui risque de te surprendre.

Hésitant quelques secondes, le vieil homme, poursuivit :

– Tu sais, j'ai eu une aventure avec une danseuse il y a quelques années, et elle a eu une enfant de moi. Cette enfant, c'est Zoé...

– Quoi ? Quoi ?

– Oui, Zoé est ma fille !

– C'est pas vrai, pauvre petite.

– Sa mère est décédée au sanatorium de Mont-Joli, il y a deux ans.

Un moment de silence couvrit la conversation des deux frères, puis Jos ajouta, sur un ton qui laissait voir son ressentiment :

– Pire que ça, elle m'a ruiné ! Il ne me reste que quelques dollars en banque.

– Que c'est triste d'entendre une telle histoire ! Toi qui as toujours été avare et près de tes sous, ça doit être dur de vivre ça. Tu payes pour tes erreurs, mon cher frère. Je ne te plaindrai sûrement pas ! Et puis, tu devrais dire à cette petite que tu l'aimes. Qu'attends-tu pour être généreux à son égard ? C'est pas croyable !

Manda rejoignit les deux lève-tôt. Elle avait tout entendu, mais fit mine de rien.

Après le dîner, Sam discuta de cette triste affaire avec Dédé. Comme il refusait de prendre de l'argent pour les prothèses de Zoé, il se rendit à la proposition de son neveu. Au début de l'hiver, il viendrait chercher un quartier de porc et quelques poules. L'homme repartit pour les États, satisfait de sa bonne action.

Zoé faisait l'apprentissage de ses nouvelles prothèses, et Manda veillait sur elle attentivement. La gamine était bien jeune pour relever un tel défi, mais elle faisait des progrès étonnants. Depuis deux jours, elle tenait fièrement son verre de lait et prenait ses jouets elle-même. Seulement grand-maman Manda arrivait à lui faire exécuter quelques exercices nécessaires à sa complète adaptation.

Neuf mois de grossesse déjà pour Phanie. La venue du poupon était proche.

# Chapitre vingt-trois

La fleur humaine est
celle qui a le plus
besoin de soleil.

**V**oyant que son mari ne mangeait presque plus, qu'il restituait le peu de nourriture qu'il arrivait à consommer et qu'il dormait tout le temps, Manda attela la jument et alla chercher le médecin.

– Bonjour, Monsieur Poitras, dit respectueusement le docteur Leclerc en entrant dans la chambre.

– Qu'est-ce que tu viens faire *icite* ?

– Je viens vous offrir mon aide. Madame Poitras m'a dit que vous n'alliez pas très bien. Pour commencer, je vais prendre votre température.

– Je ne veux pas me rendre à l'hôpital.

– Eh bien, vous faites beaucoup de fièvre. Je vais vous donner des médicaments qui soulageront votre mal un peu.

Joseph Poitras n'était pas un patient facile à soigner. Il était hargneux et ne voulait pas payer les services rendus. Il gardait le lit depuis une semaine et tenait la porte de sa chambre fermée. Il ne voulait voir personne. Seule Manda était autorisée à lui administrer ses médicaments.

Un soir, Dédé frappa à sa porte et osa entrer. Jos ne manifesta aucune réticence. Après quelques secondes d'hésitation, il se décida enfin à parler à coeur ouvert à son garçon :

— Je voudrais que tu me pardonnes pour Zoé. J'en ai pas pour longtemps à vivre, le docteur Leclerc me l'a dit, quelques mois, peut-être moins... Continuez d'élever Zoé de la façon dont vous le faites, vous êtes de bons parents. Il y a autre chose, mon garçon : je n'ai que quelques dollars à la banque, mais tu les prendras pour ma sépulture.

— J'en aurai pas assez.

— Qu'est-ce que tu as l'intention de faire ?

— Je vais devoir emprunter.

C'était la première fois de sa vie que Dédé se reconnaissait comme le fils de son père. Il ne chercha pas à savoir pourquoi il éprouvait ce sentiment intense et merveilleux. Il profita de ce rare moment d'intimité avec celui qu'il avait toujours vu comme un étranger dans sa maison et tenta de se faire réconfortant le plus possible. Lorsque le vieil homme lui avoua qu'il désirait se confesser et recevoir la communion, Dédé s'empressa d'aller au village.

— Bonsoir, Monsieur le curé, est-ce que vous pourriez venir voir mon père ? Il veut recevoir « le bon Dieu ». Il est très malade.

Le prêtre comprit tout de suite ce qui se passait. Il prit sa mallette et, sans hésiter, prit place dans le *boghei*, à côté de Dédé.

S'approchant du lit, il dit au mourant qu'il venait le confesser. Les deux hommes échangèrent des confidences pendant près d'une heure. Puis, Jos reçut la communion et l'extrême-onction.

– Il est prêt pour son dernier repos, dit le curé à sa dévouée paroissienne.

⁂

Maintenant qu'il était libéré de ses péchés, le vieil homme était rongé par le regret. Être cloué au lit était pour lui une grande humiliation. Et le fait que Phanie n'amenait plus Zoé dans sa chambre depuis quelques jours était pour lui un autre affront. Lorsque Manda faisait sa toilette, il était toujours agressif. Elle se contentait de lui laver le visage, les mains et les pieds. Il ne voulait pas retirer ses vêtements.

Par une journée grise où il pleuvait à boire debout, Jos demanda à sa femme d'aller chercher Dédé, alléguant qu'il avait affaire à lui.

– Habille-moi, dit-il.

Manda lui enfila sa chemise d'étoffe par-dessus sa camisole de laine et l'aida à mettre ses pantalons. Il était tellement amaigri que ces derniers ne tenaient plus à la taille.

– Va faire partir la Hudson, on va au village, dit-il à son fils.

Dédé prit soin de l'adosser à un oreiller pour qu'il soit plus à l'aise.

– N'accélère pas trop, car je veux voir Saint-Césaire une dernière fois.

Ils arrêtèrent en face de l'hôtel, puis continuèrent au cimetière.

– Je veux être enterré près de la grande croix noire du rang, je ne veux pas de rencontre après le service et j'aimerais que Manda et Zoé soient enterrées à mes côtés, après leur décès

Que de révélations et de responsabilités pour Dédé !

Lorsqu'ils furent de retour à la maison, le vieil homme se sentait très fatigué. Il s'endormit aussitôt. Dans ses prières du soir, Manda demandait à Dieu de venir chercher son mari, car elle savait qu'il souffrait beaucoup.

Il s'était écoulé à peine quelques minutes à partir du moment où elle avait aidé Jos à s'installer au lit et celui où elle crut entendre une lamentation. Cette plainte la glaça. Elle monta précipitamment à la chambre, s'approcha du lit en disant : « Jos, réponds-moi ! » Mais elle s'aperçut qu'il était trop tard. Il était parti pour son dernier voyage. Elle lui ferma les yeux et supplia le bon Dieu d'avoir pitié de sa créature. Elle descendit prévenir le reste de la famille.

Elle sortit des chandelles de l'armoire pendant que Dédé et son voisin « étiraient » le corps du défunt avant qu'il ne refroidisse. Il fallait préparer la salle à dîner où le corps serait exposé, installer les draps, recouvrir les meubles, sortir l'habit foncé et le chapelet qu'on enfilerait entre ses doigts. Dédé contacta le conducteur du corbillard et les porteurs de la croix de tempérance. C'était à lui que revenaient toutes ces responsabilités maintenant.

On veilla le corps toute la nuit en récitant le chapelet et le *De Profundis*.

Certains bavardaient malgré l'ambiance austère :

– Manda va être délivrée...

– Y paraît que Jos avait une liaison avec une danseuse...

– Bien pire, j'ai entendu dire qu'elle a eu un bébé de lui...

Manda, tellement fatiguée, n'avait pas la force de pleurer. Au fond d'elle-même, elle se sentait libérée. Phanie éprouvait aussi cette sensation, car elle détestait son beau-père. Odilon et Louise étaient de marbre. Ils ne versèrent pas une larme. Dédé, lui, pensait à sa dette. Il était encore abasourdi à l'idée de devoir emprunter pour mettre son père en terre. Quant à Zoé, elle était trop jeune pour comprendre ce qui se passait.

Jos fut enterré près de la grande croix noire qu'il avait lui-même érigée autrefois, mais qu'il avait refusé de fréquenter au cours des dernières années.

Sam ne put être présent aux funérailles de son frère parce qu'il s'était blessé à une jambe. Il se consolait d'avoir eu une bonne discussion avec lui, lors de sa dernière visite.  Il fit parvenir une lettre à Dédé et lui demanda d'aller la déposer près de la croix.  On pouvait y lire :

*À mon frère aîné, Joseph,*

*Lorsque nous avons réussi les tests pour lesquels nous avons été envoyés sur terre, nous sommes autorisés à passer à l'étape de la mort.*

*Nous pouvons alors nous dépouiller de notre corps, qui retient notre âme comme un cocon emprisonne le papillon.  Lorsque le temps est venu, nous pouvons nous en débarrasser.*

*Joseph, ta récompense est à la mesure de ce que tu as donné et aimé.*

*Ton frère Sam*

# Chapitre vingt-quatre

Tenir dans ses bras
l'enfant de son enfant,
c'est quelque chose de
merveilleux.

ÉTIENNETTE CARON-SIROIS

ÉCEMBRE venait de s'installer. La campagne avait pris des airs de fête. Les branches des arbres portaient de délicates dentelles aux reflets de cristal, et les champs se gonflaient d'orgueil dans leur manteau d'une blancheur immaculée. Chez les Poitras, la vie s'écoulait paisiblement depuis la mort de Jos. Dédé régnait en maître sur ses propriétés, mais prenait plaisir à rendre la vie la plus agréable possible à sa Phanie.

Au cours des derniers jours, elle avait eu des douleurs au ventre et aux reins. Voilà que dans la nuit de jeudi, en cette deuxième semaine de décembre, les contractions surgirent.

Manda prépara tout le nécessaire pour la venue de l'enfant : deux bassins, de l'eau chaude et un grand *piqué*. Elle prépara aussi une tisane aux herbages dont elle seule connaissait le secret. Ce breuvage empêchait le saignement abondant. Pendant ce temps, Dédé était allé chercher le docteur Leclerc.

Phanie nageait dans l'inquiétude d'un premier accouchement. Il y avait de nombreuses questions dans sa tête, mais devant les siens, elle affichait beaucoup de courage.

La délivrance fut assez longue et douloureuse. Une progression s'amorça lentement, mais sûrement, et bientôt, la tête du bébé s'annonça. La jeune maman faisait beaucoup d'efforts pour provoquer l'expulsion du bébé.

Elle donna enfin naissance à une belle grosse fille. Sa première réaction fut de l'examiner pour s'assurer qu'elle avait tous ses membres. Quel bonheur pour tous de constater que ce poupon avait de mignonnes petites mains et des doigts parfaitement formés !

Dédé était tout près de sa femme et était fier d'elle. Lui prenant doucement la main et la mettant dans la sienne, il lui dit : « Je t'aime. »

# Chapitre vingt-cinq

Vaut mieux une
chaumière
où l'on rit
qu'un château
où l'on pleure.

L<small>A</small> grande fête de Noël approchait. Dédé avait une belle surprise pour sa petite Eulalie. Il avait déniché un ancien berceau un peu détérioré dont le propriétaire ne se servait plus. Par les soirs, installé dans la remise, il le réparait patiemment. Ce vieux berceau en pin, aux montants tournés, avait une cinquantaine d'années, mais était d'une beauté incomparable. Une fois qu'il l'eut restauré, il se rendit au magasin général.

– Je voudrais un morceau de tissu. Tiens, celui-ci ferait l'affaire, dit-il à la vendeuse, en palpant une pièce de fine percale rose avec précaution.

– Oui, Monsieur André.

– Aussi, est-ce que vous auriez le temps de faire un peu de couture pour moi ? Je suis prêt à attendre.

Il expliqua très précisément à la couturière ce qu'il voulait mettre dans le berceau de sa fille.

– J'aurais besoin d'une trentaine de minutes au moins, Monsieur André, pour bien vous servir.

– Merci, Odile !

La commis du magasin général se mit à l'oeuvre sur son moulin à coudre. Elle fabriqua une cantonnière drapée pour le berceau de bois. Un beau voile rose complétait l'arrangement.

De retour à son atelier, le jeune père ajusta la confection sur les tournants de bois. Il regarda l'effet final avec une fierté évidente. Sa petite Eulalie serait gâtée à Noël. Il était tellement fier de lui !

ᴄ·ᴢᴓᴢᴓᴄᴓ

Phanie avait eu l'idée de faire baptiser la petite à la messe de minuit. Elle fit part de son intention à son mari.

– C'est une bonne idée, ma chérie.

– Et puis, après la messe, on pourrait faire un réveillon et inviter la parenté. Qu'en dis-tu ?

Phanie rêvait de faire une fête depuis qu'elle était mariée, mais Jos leur avait toujours interdit de faire quoi que ce soit dans la maison paternelle. Dédé était d'accord avec elle, cependant il désirait en discuter avec Manda.

– Maman, Phanie et moi avions l'intention de demander au curé Breton de baptiser Eulalie pendant la messe de minuit. Par la suite, nous aimerions faire le réveillon ici.

– Je crois que ça serait très agréable pour toute la famille. Mais laisse-moi y réfléchir un peu. N'est-ce pas trop tôt après le décès de ton père ?

Le soir venu, Manda dit à Phanie :

– On va inviter oncle Sam pour notre réveillon ; je vais lui écrire une lettre.

❧❀❧

Phanie aurait le temps de se rétablir de son accouchement, puisqu'il restait une quinzaine de jours avant Noël. Et puis, elle avait décidé que le secret sur l'infirmité de Zoé était chose du passé et qu'il était temps de faire connaître la générosité de l'oncle Sam au grand jour. Elle confectionna un ensemble neuf à la fillette pour l'occasion. Tout allait bon train pour la grande fête. On avait préparé les victuailles traditionnelles pour le repas du réveillon, les cadeaux de fabrication artisanale pour chacun, sans oublier le trousseau de baptême pour Eulalie.

Le vingt-quatre décembre au soir, Dédé prit soin de nettoyer son *berlot*, de secouer la *robe de voiture* en fourrure et de sortir les plus beaux attelages pour la Grise.

Après le souper, Manda avait pris soin de coucher Zoé plus tôt ; elle voulait l'amener à la messe et au baptême de sa petite soeur.

– Toc, toc, toc !

– Oui, entrez, dit Manda.

Quelle surprise de voir arriver Sam ! Elle lui sauta au cou.

– Comme je suis heureuse que tu sois là !

– Ce soir, c'est moi qui amène Zoé à l'église.

Vers les dix heures, grand-maman alla souffler la petite phrase magique à l'oreille de la fillette : « C'est le temps, lève-toi ! » Sam la serra très fort dans ses bras, l'embrassa, puis lui demanda comment elle se débrouillait avec ses nouvelles mains. Pendant ce temps, Phanie s'affairait auprès d'Eulalie.

On dut attacher la *traîne à patates* derrière le *berlot* pour que chacun ait sa place. Mais quel bonheur d'être ensemble !

À leur arrivée à la salle paroissiale, Sam, comme un vrai père, prit Zoé avec précaution dans ses bras et l'amena jusqu'à l'intérieur. Ses petites mains emmitouflées dans de chaudes mitaines de laine étaient à l'abri des regards indiscrets. Les cloches sonnaient et tintaient dans le firmament étoilé de cette belle nuit de Noël !

Peu à peu, les paroissiens de Saint-Césaire prenaient place pour la messe. Quelques curieux murmuraient :

– À qui la petite fille assise là-bas ?

– Elle n'a pas de mains ?

– Pauvre enfant, elle est infirme !

Chacun y allait de ses commentaires et de ses suppositions. Le curé Breton, lui, disait sa messe avec enthousiasme, et un grand bonheur l'envahissait à l'idée de baptiser une nouvelle élue de Dieu.

*– Il est né le divin Enfant... Minuit, chrétiens...*

Et ce fut le moment du baptême de Noëlline Eulalie Poitras. Avant de procéder au rituel prescrit par la liturgie, le représentant de Dieu monta en chaire pour inviter ses paroissiens à vivre dans la fraternité, à s'entraider et à se respecter. C'était, à son dire, le message de cette nuit de Noël au cours de laquelle on célébrait la naissance de l'Enfant-Dieu. Un moment de silence, habité d'émotion et de gêne, enveloppa toute l'assistance qui écoutait le pasteur avec recueillement. Puis, il continua son sermon en dévoilant publiquement « le secret de Joseph Poitras, un chrétien de sa paroisse » et en invitant son frère Sam, accompagné de Zoé, à venir à l'avant.

– Ma petite Zoé, on t'aime tous, je te bénis au nom du Père et du Fils et du Saint-Esprit, va en paix, poursuivit-il d'une voix émue qui toucha les coeurs les plus endurcis.

De retour à la maison, ce fut la fête. La grande table était bien décorée et remplie de bonnes choses. En entrant au salon, Phanie aperçut au pied du sapin, un joli berceau dans lequel étaient placés des bonbons et des jouets.

– D'où vient ce beau berceau de bois plein de surprises ?

– C'est pour Eulalie, et les surprises sont pour toi et Zoé, mon amour, répondit Dédé, très heureux de constater que sa douce moitié était contente.

Ils s'embrassèrent amoureusement. Pendant ce temps, Zoé se tirait bien d'affaire pour examiner ses nouveaux jouets. Et tout le monde était heureux. Sam, cet homme au coeur généreux, semblait comblé de voir que le bonheur régnait enfin dans la maison de son défunt frère.

La parenté arrivait ; chacun avait amené un petit présent.

– Bonsoir ! enlevez vos manteaux et passez au salon, disait Manda, enjouée, à ses invités.

L'aiguille du *graphophone* tournait à vive allure sur les cylindres à musique de La Bolduc. On dansait, on riait et on s'amusait ferme.

– Tout le monde à table ! dit Sam.

Une belle grosse dinde dorée trônait au centre de celle-ci, entourée d'un plat de ragoût de pattes de cochon, de bols de *cretons*, de pâtés à la viande et de savoureux desserts.

Une fois bien rassasiés, les invités retournaient au salon pour danser sur des airs de violon, d'harmonica et de « cuillères ». D'autres, installés dans la cuisine, préféraient jouer aux cartes.

C'était Noël ! Jos n'était plus là pour tout contrôler et empêcher la maisonnée de s'amuser. La fête se poursuivit jusqu'au lever du jour.

Après ce temps de réjouissances traditionnelles, la vie reprit son cours. Tous les espoirs semblaient permis en ce début d'année. Chacun avait enfin la permission d'accueillir les moments heureux dont était tissé le quotidien et de les savourer en toute liberté.

Grand-maman Manda, oncle Sam, Phanie et Dédé ainsi que leurs filles Zoé et Eulalie auraient fait un merveilleux portrait de famille à laisser en héritage. Le lien qui les soudait les uns aux autres était solide, car c'était celui de l'amour. Un amour authentique bâti sur le respect de soi et des autres.

## La veille maison

Vieille demeure teintée de gris
À travers tes poutres vieillies
Dis-moi les secrets cachés
Dans tes murs de bois durcis

Si tu revois ton enfance
Laisse-la me raconter
Le chemin de l'école
Les amis du temps passé
Et les jours ensoleillés de vacances

Je me souviens...
La balançoire au fond du jardin
Qui a bercé mon adolescence
Tes lilas embaumés
Et la brise douce des soirs de mai

Je me rappelle aussi ton grenier
Oui, tant de souvenirs m'assaillent...
Avec toutes ces vieilles choses
Endormies dans le passé...
Comme ce vieux châle de laine

Qu'une fileuse lasse et fatiguée
Sur le plancher a laissé tomber
Et tout à côté...
Un bouquets de fleurs séchées

De pauvres immortelles
Pourtant si braves... mais
Au ravage des ans
N'ont pu résister

Je repense à ces photos anciennes
Prisonnières dans une toile d'araignée
Laissant à peine filtrer
La pâle image des êtres... tant aimés
Que la mort sans scrupules
À la vie est venue arracher

Et tout au fond sous tes combles
J'imagine ce bon vieux rouet
Qui ne ronronne plus...
Pareil à cette jeunesse.
Qui ne respire plus...
Avec ses joies folles
Ses espoirs et ses rêves non réalisés

Drapée d'une robe blanche
Pour communier
Et l'autre... toute noire
Pour pleurer.

Vieille maison tant aimée
Ouvre tes fenêtres et tes portes closes
Les hirondelles reviendront chanter
Les lilas seront encore parfumés
Et les nuits aussi douces pour aimer

Tu me diras les chagrins d'automne
Et le bonheur de l'été...
Rappelle-moi si j'oublie
Vieille maison teintée de gris

*Noëlla Jean*
*Saint-Fabien*

# Glossaire

*Les nuages peuvent cacher une étoile, mais les nuages passent et l'étoile demeure.*

## A

Acheter : accoucher

Appareiller (s') : se préparer

Assis-toi : *assieds-toi*

Atriqué : accoutré, qui ne paraît pas bien

## B

Barda : ménage quotidien

Baratte à beurre : récipient clos dans lequel on battait la crème pour la transformer en beurre

Bavasser : *bavarder*

Bavette du poêle : tablette de métal située sous la porte du poêle à bois pour recueillir les cendres

Badluck : malchance, malheur (de l'anglais *bad luck*)

Berçante ou berceuse : siège reposant sur des lames de bois courbes

Berlot : traîneau assez court fait d'une caisse montée sur patins pleins et bas, avec sièges amovibles

Beurrerie : endroit où l'on fabrique ou conserve le beurre

Boghei : voiture à cheval, légère, à capote mobile suspendue sur deux roues (de l'anglais «buggy»)

Boucane : fumée de la cigarette

Broche : fil de fer uni ou grillage à carreaux servant de clôture

## C

Caler : enfoncer dans l'eau, dans la neige

Capine : coiffure en forme de capuche,

Capot (de fourrure) : manteau d'hiver pour homme

Carriole : voiture d'hiver sur patins bas et pleins, avec sièges fixes

Catalogne : étoffe faite de retailles de tissus de coton ou de laine de différentes grosseurs et dont on faisait des tapis

Cenne : centième partie du dollar canadien; allusion aux pièces de cuivre d'un cent, plus grosses que nos 25 cents et remplacées depuis 1922 par les cents actuels, beaucoup plus petits

Centrifuge : écrémeuse, séparateur.

Chialeux : qui bougonne, rechigne, se plaint sans arrêt

Chiard : hachis de restes de viandes et de pommes de terre

Consomption : tuberculose pulmonaire

Crèche : établissement où l'on recevait les enfants nés hors mariage

Cretons : charcuterie faite de viande de porc hachée, cuite avec des oignons, dans de la graisse de panne

*D – E – F – G*

Dépeinturé : peinture écaillée

Dérhumer (se) : éclaircir sa voix

Éclisse : attelle pour maintenir immobile un membre fracturé

Feluette : déformation du mot fluet qui signifie fragile et d'apparence frêle

Famille (en) : être enceinte

Golendart : longue scie munie de deux poignées amovibles et servant à abattre les arbres ( on disait aussi *godendart, gadendart*)

Goudrelle : gouttière de bois ou de métal conduisant la sève de l'érable au contenant destiné à la recueillir

Gouge : espèce de ciseau en métal à bout tranchant utilisé pour entailler les érables ; c'est dans l'entaille faite par cette gouge qu'on introduisait une goudrelle

Grande demande : demande en mariage officielle

Graphophone : phonographe, tourne-disques (on disait aussi *gramophone*)

## I - L

Icite : régionalisme équivalent au mot *ici.*

Lait caillé : partie du lait qu'on faisait coaguler et qu'on mangeait comme dessert, saupoudré de sucre d'érable ou de cassonade ; sorte de yogourt

Laize : bande plus ou moins large de tissu ; laize de tapis

## M

Mackinaw : veste-chemise de bûcheron ou de chasseur confectionnée dans un tissu de laine à carreaux qui porte le même nom et où s'opposent le rouge et le noir

Mangeur de balustrade : individu qui feint la piété

Marchette : appareil roulant qui soutient les enfants qui apprennent à marcher

Minot : mesure de capacité pour les grains valant 34 livres ou 15,4 kilos

Mouche de moutarde : cataplasme à base d'un mélange de farine et de moutarde utilisé comme révulsif; ce médicament provoquait des ampoules cutanées sur le corps

Musique à bouche : harmonica

## O – P

Oreille-de-Christ : grillades de lard salé ou tranches de *bacon* rôties

Patates : pommes de terre

Piqué : alèze piquée, protège-matelas pour les lits d'enfants

Placotage : potinage, commérage

Ponce : boisson chaude à base d'alcool, généralement sucrée, qu'on absorbe quand on est grippé ou quand on arrive du froid

Poudrée : femme volage, infidèle, inconstante

Parlable (pas) : peu sociable, grincheux et acariâtre

Poulette : jeune fille

## Q – R

Quêteux : mendiant ; les lois sociales de l'après-guerre ont fait disparaître les quêteux

Ramancher : rebouter, réduire une fracture, exercer le métier de *ramancheur*

Robe ou peau de carriole : fourrure dont on se servait l'hiver comme couverture de voyage

Robertail : petit cabriolet découvert sur roues de caoutchouc (de l'anglais *rubber tire*)

## S

Scapulaire : objet de dévotion composé de deux petits morceaux d'étoffe bénie, réunis par des rubans qui s'attachaient autour du cou

Servitudes : frais de sépulture

Siffleux : marmotte du Canada

Sleigh : traîneau d'érablière pour le transport de la sève d'érable

## T

Tête fromagée : fromage de tête

Toune : air de musique, chanson

Traîne à patates : traîneau à patins bas pour le transport des marchandises

Truie : poêle rudimentaire formé d'un bidon d'acier horizontal monté sur quatre pieds

Turluter : émettre des sons très rythmés, sans paroles, à l'aide de la langue et de la gorge

## W

Wampole : tonique, fortifiant (marque déposée)

AGMV
MARQUIS
Québec, Canada
1998